Noorderpark

Noorderpark

Inhoud

Contents

Het geheim van Amsterdam-Noord

Aafke Post, landschapsarchitect stadsdeel Amsterdam-Noord

Noord's secret

Aafke Post, landscape architect, borough of Amsterdam-Noord

Through its history, Amsterdam-Noord has had a rich and dynamic development culture. The present is no exception with the many new projects on the programme. The projects need to be developed by using the intrinsic landscape structure in Amsterdam-Noord as a source of inspiration. On the other hand, the new projects can help repair the damage done in the past to the landscape structure.

Amsterdam-Noord kent van oudsher een rijke ontwikkelingsdynamiek. Ook nu staan vele fysieke projecten op het programma. Enerzijds worden deze nieuwe projecten sterker door de landschappelijke structuur als inspiratiebron te gebruiken. Anderzijds kunnen de nieuwe projecten een rol spelen in het herstellen van intrinsieke landschapsstructuur die hier en daar verloren is gegaan.

The change

Steadily and quietly, Amsterdam-Noord has become a desirable residential area. This spontaneous development is now being accelerated by the arrival of the North/South metro line, the future stations which will stimulate extensive urban development. Around the metro station of Buikslotermeer a centre will arise that includes shops, offices and residences, as well as cultural and entertainment facilities for the Greater Amsterdam area. Only one stop away from the Amsterdam Central Station, the Johan van Hasseltweg metro station will be built right next to the new Noorderpark. **The Noorderpark is going to be the only centrally situated park in Amsterdam near a metro station.** This unique position will be significant for the city as a whole, just like the Parc de la Villette in Paris and the Parque das

De verandering

Amsterdam-Noord is in relatieve rust uitgegroeid tot een gewild woongebied. Deze spontane ontwikkeling wordt door de komst van de Noord/Zuidlijn versneld. De toekomstige metro-stations zullen fungeren als belangrijke aanjagers voor de omvangrijke verstedelijking. Zo zal rond het metrostation Buikslotermeer een centrum voor winkelen, wonen, werken, cultuur en uit-gaan voor stad en regio verrijzen. Slechts op één station verwijderd van het Centraal Station komt metrostation Johan van Hasseltweg, direct aan het nieuw te realiseren Noorderpark. **Dit is het enige park centraal in Amsterdam dat bij een metrostation ligt.** Deze unieke positie geeft het park een betekenis op de schaal van de stad, vergelijkbaar met Parc de la Villette in Parijs en het Parque das Nações in Lissabon, beide eveneens ontsloten met een metro.

Nações in Lisbon, both of which are accessible by metro.

The area around the Johan van Hasseltweg metro station will be developed gradually. The surrounding neighbourhood of Old Amsterdam-Noord is expected to develop along similar lines as the Amsterdam neighbourhood of De Pijp. The sunny northern IJ bank already holds great attraction for future users. Parts of the bank are planned as public space. The former Shell site, the Buiksloterham and the NDSM Wharf will feature a strong mix of culture, entertainment, office space and residential areas.

A growth to 125,000 inhabitants and 36,000 workers is expected by 2015 due to Amsterdam-Noord's urban development; an increase of roughly 40 percent.

De stedelijke ontwikkeling rond het Johan van Hasseltstation wordt geleidelijk ingezet. De verwachting is dat het omliggende Oud Noord een ontwikkeling gaat doormaken vergelijkbaar met het Amsterdamse stadsdeel de Pijp. De zonnige Noordelijke IJoever heeft al een enorme aantrekkingskracht op toekomstige gebruikers. Voor dit gebied zijn plannen voor een openbare oever. Het voormalige Shellterrein, de Buiksloterham en de NDSM-werf krijgen een sterke menging van ontspanning en cultuur, wonen en werken. De stedelijke ontwikkelingen van Amsterdam-Noord zijn tot 2015 geprognosticeerd op een groei van het stadsdeel naar 125 duizend inwoners en 36 duizend werknemers, globaal een toename van 40 procent.

This will have a great spatial impact.

Dat heeft flinke ruimtelijke consequenties.

Urban landscape

Amsterdam-Noord is characterized by many historical dikes, the most prominent of which is the Waterlandse Zeedijk stretching for miles in east-west direction. Perpendicular to the Waterlandse Zeedijk, three green corridors extend from the IJ up to Waterland. The residential areas situated in between are arranged in a pattern resembling a mosaic.

The central green corridor, which includes the Noordhollandsch Kanaal, will carry the greatest burden of the new urban development programme, including the new metro line, residential areas, sports fields and the Noorderpark. Green space along the Noordhollandsch Kanaal will decrease, whereas user pressure will increase. **This will make the area vulnerable, but also create new opportunities.**

Stadslandschap

Amsterdam-Noord wordt gekarakteriseerd door de vele historische dijken waarvan de kilometers-lange, oost-west georiënteerde Waterlandse Zeedijk de belangrijkste is. Dwars op de Waterlandse Zeedijk bevindt zich een drietal groene voegen van formaat die van het IJ tot Waterland reiken. De woonwijken daartussen kenmerken zich door een mozaïekstructuur.

Het centrale groengebied langs het Noordhollandsch Kanaal is in de plannen, vergeleken met de andere groene voegen van Amsterdam-Noord, het meest belast met een nieuw stedelijk programma, zoals een metrolijn, wonen, sportterreinen en het Noorderpark. De omvang van het groen langs het Noordhollandsch Kanaal zal afnemen terwijl de druk erop toeneemt. **Dit maakt het gebied kwetsbaar, maar ook kansrijk.**

The new urban development programme addresses the need to invest in green space. To move these plans in the right direction it is important to clearly define the intrinsic value of the central green corridor. **A strong identity will grant the corridor a rational for its existence**. An appropriate, tailor-made layout will be of an added value to its surroundings. Enhancing its functional possibilities will boost the quality of life in the area.

Amsterdam-Noord has abundant green space, but not all of it is equally significant. The essence lies in the structure of the landscape: the inter-action between green, water and historical dikes determining the face of Amsterdam-Noord. Although not always recognizable as such, the dikes play a crucial role within the landscape structure. These old, long

De stedelijke ontwikkeling voorziet in de nood-zaak om in groen te investeren. Om de plannen in goede banen te leiden is het belangrijk dat helder gedefinieerd wordt wat de intrinsieke kwaliteit is van deze groene voeg. **Een sterke eigen identiteit geeft de voeg bestaansrecht.** Een passende inrichting met geëigende maat-voering biedt een meerwaarde aan de omgeving. Intensivering van de gebruiksmogelijkheden zal de leefbaarheid stimuleren.

Amsterdam-Noord heeft veel groen. Niet al het groen is even belangrijk. De essentie ligt bij de landschappelijke structuur met zijn samenspel van groen, water en historische dijken. Dit bepaalt het gezicht van Amsterdam-Noord. De dijken spelen in de landschappelijke structuur een cruciale rol. Ze zijn nog aanwezig, maar niet meer overal herkenbaar. Deze oude lange lijnen zijn nog steeds belangrijke routes, vooral voor het langzaam verkeer. Door het weer herkenbaar maken en

lines still serve as important routes, particularly for cyclists and pedestrians. **By restoring the dikes and increasing their visibility, Amsterdam-Noord will acquire a high-quality landscape, reinforcing its structure through minimal intervention.** This is the essence of urban planning in Amsterdam-Noord.

With the implementation of residential development plans and the construction of the North/South metro line, the green corridor along the Noordhollandsch Kanaal will assume a new role. The former Florapark and Volewijkspark will be transformed into one modern park, the Noorderpark. **Turning two neighbourhood parks into one metropolitan park, the Noorderpark will have**

het helen van de dijken verwerft Amsterdam-Noord een kwalitatief hoogwaardige landschappelijke structuur. Met minimale ingrepen neemt de kracht ervan toe. Dat is de kern bij het maken van ruimtelijke plannen voor Amsterdam-Noord.

Met het verwezenlijken van de nieuwbouwplannen en de aanleg van de Noord/Zuidlijn krijgt de groene voeg langs het Noordhollandsch Kanaal een nieuwe rol. Florapark en Volewijkspark worden omgevormd tot het eigentijdse Noorderpark. **De positie van de buurtparken wordt uitgebreid zodat er een park ontstaat met een grootstedelijke uitstraling en een betekenis voor de hele stad,** dat past bij het dichtbevolkte en gemengde karakter van de omgeving in de toekomst.

significance for the city as a whole, matching the populous, mixed character of its future urban environment.

Historical developments

The Noorderpark is framed and transected by various historical dikes. The history of the entire district is evident in this small area.

The area north of the IJ consists mostly of peat lands. In the thirteenth century, the Waterlandse Zeedijk was constructed to protect the land from the sea. The dike was not built right along the coastline. As a result some lands were lying outside the dike. One of these external areas, a peninsula named Volewijk or Nieuwe Dam, forms the backbone of the Noorderpark today. The Waterlandse Zeedijk defines the northeast boundary of the park. In the past, the Volewijk peninsula was used as the gallows-field of Amsterdam. The Waterlandse Zeedijk permitted transport over land. Along the dike, various dike towns were built.

Historische ontwikkeling

Verschillende historische dijken omlijsten en doorkruisen het Noorderpark. Op dit kleine oppervlak is de geschiedenis van Amsterdam-Noord te lezen.

Het gebied ten noorden van het IJ bestaat voornamelijk uit veen. In de dertiende eeuw wordt de Waterlandse Zeedijk aangelegd om het land te beschermen tegen de zee. Deze dijk is niet precies langs de kustlijn gelegd, waardoor sommige stukken land buitendijks liggen. Een buitendijks schiereiland, genaamd Volewijk of Nieuwe Dam, vormt vandaag de dag de ruggengraat van het Noorderpark, met de Waterlandse Zeedijk als noordoostgrens. De landtong Volewijk is in die tijd het galgenveld van Amsterdam. De Waterlandse Zeedijk maakt transport over land mogelijk. Langs de dijk ontstaan verschillende dijkdorpen.

To improve the connection between Amsterdam and the north of Holland a barge-canal was dug, cutting right through the peninsula. In 1662 the Tolhuis, a tollhouse that included a coffeehouse, was built near the junction of the barge-canal and the IJ. North of the peninsula the Buikslotermeer was drained and reclaimed. The village of Buiksloot arose along the Waterlandse Zeedijk, right where the dike borders the Buikslotermeer polder.

Meanwhile, the Tolhuis had added a pleasure garden, a theatre hall, a playground and a dance hall to its grounds. Open-air concerts were being held. **The Tolhuis and its entertainment programme drew crowds from all over Amsterdam.**

Dwars door de landtong wordt een trekvaart gegraven om de verbinding tussen Amsterdam en het noordelijk deel van Holland te verbeteren. Bij de monding in het IJ wordt in 1662 het Tolhuis gebouwd, dat eveneens dienst doet als koffiehuis. Ten noorden van de landtong wordt het Buikslotermeer drooggemalen. Waar de Waterlandse Zeedijk de grens vormt van de Buikslotermeerpolder ontstaat het dorp Buiksloot.

Het Tolhuis met tuin doet inmiddels dienst als lusthof, speeltuin, toneelzaal en dansvloer. Openluchtconcerten worden er gehouden. **Dit vertier trekt mensen aan uit heel Amsterdam.**

In 1823 the barge-canal was transformed into the Noordhollandsch Kanaal, connecting Amsterdam to the town of Den Helder and the North Sea. The Buiksloterham, which was occasionally used as a sediment basin, was reclaimed in 1848. Its polder dike, the Buiksloterdijk, is still manifest between the Florapark and the Noordhollandsch Kanaal, today.

Because of the increasing size of ocean liners the canal soon lost its function. In 1878, the Noordzeekanaal was opened, establishing a short, deep and wide connection to the North Sea. The construction of the Noordzeekanaal facilitated land reclamation outside the dikes. East of the Volewijk the Nieuwendammerham was reclaimed.

The construction of the islands in front of the Amsterdam Central Station (1889) narrowed the distance between the two banks of the IJ.

In 1823 is de trekvaart geheel getransformeerd tot het Noordhollandsch Kanaal, dat Amsterdam met Den Helder en de Noordzee verbindt. De Buiksloterham, incidenteel in gebruik als slibdepot, wordt in 1848 ingepolderd. Tegenwoordig is de Buiksloterdijk, tussen het Florapark en het Noordhollandsch Kanaal, nog goed waarneembaar. Al gauw verliest het kanaal zijn functie vanwege de toenemende afmetingen van zeeschepen. In 1878 komt met de opening van het Noordzeekanaal de korte, brede en diepe verbinding met de Noordzee tot stand. Door de aanleg van het Noordzeekanaal kan eenvoudiger buitendijks grond gewonnen worden. Ten oosten van de Volewijk wordt de Nieuwendammerham ingepolderd.

De aanleg van de stationseilanden voor het Centraal Station (1889) verkleint de afstand tussen de twee oevers van het IJ. De komst van het stationsgebouw zorgt er niettemin

However, as the new station faced the city centre, the visual effect was that the central city turned away from the IJ and Amsterdam-Noord.

Nowadays, the Florapark and the Volewijkspark are used as neighbourhood parks. The situation was quite different at the beginning of the twentieth century. Traditionally, the northern IJ bank in the vicinity of the mouth of the Noordhollandsch Kanaal was very popular with the people of Amsterdam. Together these areas had served as the city's entertainment district since time immemorial. **People would parade along the IJ bank or visit diner dansants at the Tolhuis.** The tramline down the Buiksloterdijk to Waterland provided a comfortable means of transport to those who wished to visit Amsterdam-Noord for recreation. A maritime show held in 1913

voor dat de centrale stad zich visueel afkeert van het IJ en van Amsterdam-Noord.

Het Florapark en het Volewijkspark zijn nu in gebruik als buurtpark. Dat is begin twintigste eeuw heel anders. De kop van Amsterdam-Noord en het gebied langs het Noordhollandsch Kanaal zijn altijd in trek geweest bij de Amsterdammers. Van oudsher functioneert dit als een uitgaans- en evenementengebied van de stad. **Men kan flaneren langs het IJ en diner dansants houden bij het Tolhuis.** Voor de Amsterdammers die Amsterdam-Noord voor recreatieve doeleinden bezoeken is de tramlijn over de Buiksloterdijk richting Waterland een aangenaam vervoermiddel. In 1913 wordt een scheepvaarttentoonstelling georganiseerd, compleet met een kopie van het oude Amsterdam uit 1580, een lunapark, roei-, zeil-, en zwemfeesten en een wekelijkse vuurwerkshow. De eerste luchtvaarttentoonstelling van Amsterdam vindt plaats in Noord, daar-

included an imitation of the old city of Amsterdam in 1580, a fun fair, rowing, sailing and swimming parties, and a weekly fireworks show. The first aviation show in Amsterdam was held in Amsterdam-Noord as well; its visitors even had the opportunity to fly themselves. Furthermore, a major agricultural show was held on the Buiksloterdijk. Between 1916 and 1926, the outdoor swimming pool at the Badhuisweg attracted visitors from all over Amsterdam. In addition, many people came to visit the ice skating rink on the Johan van Hasseltkanaal.

From 1900 onwards, large-scale shipyards were established on the northern IJ bank. As central Amsterdam faced an acute shortage of new building locations, houses were being built in the heart of Amsterdam-Noord, far away from the IJ and the Amsterdam city centre. The new

bij kan zelfs gevlogen worden. Een omvangrijke landbouwtentoonstelling vindt plaats op de Buiksloterdijk. Tussen 1916 en 1926 komen mensen uit heel Amsterdam zwemmen in het openlucht-zwembad aan de Badhuisweg. Velen bezoeken de schaatsbaan op het Johan van Hasseltkanaal.

Vanaf 1900 komen er grootschalige scheeps-bouwactiviteiten aan de noordelijke IJoever. Er is een nijpend tekort aan nieuwe woning-bouwlocaties in Amsterdam. Deze worden in het hart van Amsterdam-Noord gebouwd, ver van het IJ en het stadscentrum. De woningen hebben een eigen tuin en in de stedenbouwkundige plannen zijn perken, pleinen en parken opgenomen. Licht, lucht en ruimte zijn de toverwoorden in die tijd. Vooruitlopend op de woningbouw wordt in 1910

houses had their own gardens and the neighbourhoods were to include flowerbeds, squares and parks. Light, air and space were the magic words of urban planning in those days. In anticipation of the construction of these neighbourhoods the Vliegenbos and the Volewijkspark were realized in 1910, with the Florapark following ten years later. In the late twenties the 'garden villages' were completed on both sides of the parks along the Noordhollandsch Kanaal. On the west side arose the neighbourhoods of the Van der Pekbuurt, the Bloemenbuurt and the Floradorp and on the east side the Vogelbuurt. All the houses were built according to the garden village philosophy: two storeys with pitched roofs.

het Vliegenbos en het Volewijkspark aangelegd,
tien jaar later wordt gestart met het Florapark.
Eind twintiger jaren worden de nieuwe tuin-
dorpen aan weerszijden van de parken langs
het Noordhollandsch Kanaal opgeleverd. Aan de
westzijde bevinden zich de Van der Pekbuurt, de
Bloemenbuurt en Floradorp; aan de oostzijde ligt
de Vogelbuurt. Alles is uitgevoerd in laagbouw
volgens de tuinstadgedachte, niet meer dan twee
verdiepingen hoog met een schuine kap erop.

In response to the chronic housing shortage, a supplement to the General Extension Plan for Amsterdam of 1935 was issued for Amsterdam-Noord in 1958. This supplement was to become the basis of the present physical structure. The structure of the urban development in Amsterdam-Noord was typified by **green corridors perpendicular to the IJ.** The residential areas in between these corridors were defined by green borders. Within the corridors and borders access roads were built. **Infrastructure such as the IJ tunnel and the Nieuwe Leeuwarderweg were significant for the accessibility of the new residential areas, but they ruined the Volewijkspark and perforated the historical Waterlandse Zeedijk.** The construction of the Florapark swimming pool in the northern part of the Florapark added to the fragmentation of the park.

In 1958 verschijnt voor Amsterdam-Noord een aanvulling op het Algemeen Uitbreidingsplan uit 1935 als antwoord op de toenmalige woningnood. Daarmee is het fundament van de huidige structuur gelegd. De kenmerkende stedenbouwkundige structuur heeft een opbouw van **loodrecht op het IJ staande groene voegen** met daartussen eveneens met groen afgebakende woonbuurten. In dat groen zijn de ontsluitingswegen opgenomen. **De infrastructurele plannen, zoals die voor de IJtunnel en de bijbehorende Nieuwe Leeuwarderweg, hebben betekenis voor de ontsluiting van de nieuwe woonbuurten, maar ruïneren het Volewijkspark en doorboren de historische Waterlandse Zeedijk.** De bouw van het Floraparkbad tast de kop van het Florapark aan.

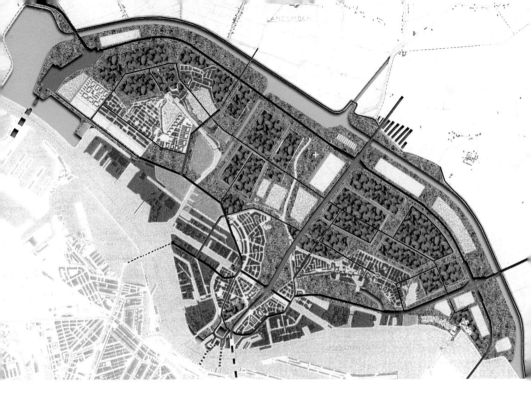

Incidental developments in recent history have fragmented the characteristic structure of Amsterdam-Noord. Knowledge of the historical development is used to draw the intrinsic landscape structure. The new projects In Amsterdam-Noord should be seized to restore this structure. Independent landscape structure can be a steady partner in the urbanization process. **It will increase the quality of life in new building projects.** Used this way, landscape structure can be an autonomous, guiding factor on the larger scale, instead of being an end result of urban development.

By consolidating the fragmented green spaces into one Noorderpark and restoring the Waterlandse Zeedijk the borough council of Amsterdam-Noord is making a clear step towards enhancing the landscape structure of the district.

Door op zich staande ontwikkelingen in het verleden is de karakteristieke structuur van Amsterdam-Noord verbrokkeld. Kennis van de ontstaansgeschiedenis van Amsterdam-Noord leidt tot de intrinsieke landschapsstructuurkaart. De nieuwe projecten van Amsterdam-Noord moeten aangegrepen worden om de landschappelijke structuur te herstellen. Als zelfstandige entiteit kan het een evenwichtige deelgenoot zijn in het verstedelijkingsproces. De immanente kwaliteit van **de landschappelijke structuur vergroot de leefbaarheid van de nieuwe woningbouwprojecten.** De landschappelijke structuur wordt zo geen resultante van de stedelijke ontwikkelingen maar een autonoom leidend element op de schaal van het stadsdeel. Met het samenvoegen van versnipperde groengebieden tot één Noorderpark en het helen van de Waterlandse Zeedijk doet het stadsdeel Amsterdam-Noord een duidelijke zet in het versterken van de landschappelijke structuur.

Noord's secrets

The effects of the apparently ad hoc developments in Amsterdam-Noord during the last few decades have not all been negative. The interplay between relatively autonomous developments during different time periods has created some **unique, hidden places** that only few people are aware of. Outside the beaten track, these spots are worth discovering: for example, the narrow footpath along the IJ water in Schellingwoude, the botanical garden near the Schouw, the clearings in the Vliegenbos, or the Rietland. As green space becomes scarcer these spots become even more valuable; **they should be cherished**.

Geheimen van Amsterdam-Noord

De schijnbaar ad hoc ontwikkelingen van de laatste decennia in Amsterdam-Noord hebben niet alleen negatieve gevolgen gehad. Het samenspel van relatief onsamenhangende ontwikkelingen in verschillende perioden heeft geleid tot **unieke, geheime plekken** die slechts door een enkeling ontdekt zijn. Ze liggen net even buiten de gebaande paden en zijn de moeite van het vinden waard. Ervaar bijvoorbeeld het paadje langs het water van het IJ in Schellingwoude of de Heemtuin bij het Schouw, de open plekken in het Vliegenbos of het Rietland. Door het schaarser worden van het groen worden deze plekken waardevoller; **ze moeten gekoesterd worden**.

The Noorderpark,

Het Noorderpark,

also a hidden gem,

ook een verborgen plek,

has been rediscovered.

is herontdekt.

It is still a raw pearl, tucked away, generously sized and full of potential. Not every passer-by knows that the Noorderpark is more than just a bit of green behind the dike along the Noordhollandsch Kanaal near the Florapark. The Noorderpark measures as much as 26 hectares and consists of several secluded areas. Although it will remain an intimate, sheltered world, entered through a gate, one of the secret places of Amsterdam-Noord will be exposed to a greater public, with the realization of the new Noorderpark. **Inside this world, visitors will enjoy a generous park with a personal identity that is strengthened by custom-designed park furnishing.**

Nu een ruwe parel; royaal van maat, verscholen en markant. Niet iedere passant weet dat het meer is dan wat groen achter de dijk langs het Noordhollandsch Kanaal bij het Florapark. Het park is maar liefst 26 hectare groot en bestaat uit sterk in zichzelf gekeerde gebieden. Hoewel het een intieme eigen wereld blijft, toegankelijk via een poort, wordt één van de geheime plekken van Amsterdam-Noord onthuld aan een groter publiek, met de aanleg van het nieuwe Noorderpark. **Binnen kan men genieten van een omvangrijk park met een eigen identiteit, versterkt door speciaal voor dit park ontworpen inrichtingselementen.**

At one stroke, a new city park of great significance appears in the heart of Amsterdam Noord, at the junction of important routes and landscape structures. The park and the new city complement each other. The Noorderpark offers room for activities for all citizens of Amsterdam. **Rightfully, it will become a place for everyone**.

In het hart van Amsterdam-Noord, op het kruis-punt van belangrijke routes en landschappelijke structuren, verschijnt in één klap een stadspark van importantie. Park en nieuwe stad vullen elkaar aan. Het Noorderpark biedt ruimte voor activiteiten voor heel Amsterdam. **Het wordt met recht een plek voor iedereen.**

Cora Bonink

Wandeling in het Amsterdam-Noord van 2030

John Jansen van Galen, journalist

Walking through Amsterdam-Noord in 2030

John Jansen van Galen, journalist

The city is changing. The North/South metro line is running. The northern IJ bank is developed. The canal, running through a much more crowded Amsterdam-Noord, is a beautiful silver-green route leading the

De stad verandert. De metro rijdt. De IJoevers zijn bebouwd. Binnen een veel voller Amsterdam-Noord is het kanaal een prachtige zilvergroene route die de stedeling richting Waterland leidt. Het Noorderpark op de kruising met de Waterlandse Zeedijk is een hoogtepunt in die route. Wat betekent het Noorderpark voor de intensief gebruikte stad van 2030? En wat verwacht John Jansen van Galen van een wandeling over 30 jaar?

townspeople to Waterland. The highlight of this route is the Noorderpark at the junction with the Waterlandse Zeedijk. What is the significance of this park for the intensively used city of 2030? And what are John Jansen van Galen's expectations for a walk in the area, 30 years from now?

It is a glorious spring day. Once more **I board the ferry to cross the IJ** and take the footpath along the Noordhollandsch Kanaal. Much to my pleasure I notice that the **Ot en Sien café** is still there. How many times, more than half a century ago, did I sit on its terrace following an afternoon walk through Waterland; sun-broiled, a glass of beer in hand, drifting into a doze? But I take heart. Beer will turn my legs into jelly; I shall enter the café on my return. I continue walking in northward direction.

Het is een stralende lentedag. **Weer neem ik de pont over het IJ** en ga het pad langs het Noordhollandsch Kanaal op. Tot mijn genoegen zie ik dat café **Ot en Sien** er nog is. Hoe vaak heb ik, zondoorstoofd, glas bier in de hand en allengs soezeriger, daar op het terras gezeten na een middag te voet door Waterland, meer dan een halve eeuw geleden? Maar ik verman mij, want bier zakt je in de benen; ik zal er pas op de terugweg binnengaan. Ik loop verder noordwaarts.

In spite of myself my thoughts wander back in time. For how long have I been living in Amsterdam now? More than seventy years! I can just picture my first room, a garret in the Madoerastraat: a narrow slot between tall, dark brown brick houses, plastered with posters of the Dutch Communist Party during election times. I was homesick for the heath lands, the sand drifts, the river forelands surrounding my native village near the Veluwezoom, for space above all. Around noontime on Saturday mornings, after lectures were over, I would hitchhike back to Gelderland in a minibus packed with construction workers building the new RAI. Once home, I would be in the forest within the hour.

Mijn gedachten gaan onwillekeurig terug. Hoe lang woon ik al in Amsterdam? Meer dan zeventig jaar! Ik zie mijn eerste kamer voor mij, driehoog achter in de Madoerastraat, een smalle sleuf tussen hoge huizen van donkerbruine baksteen, waar in verkiezingstijd veel affiches hingen van de Communistische Partij Nederland. Ik had heimwee naar de heidevelden, de zandverstuivingen, de uiterwaarden rond mijn geboortedorp aan de Veluwezoom, naar de ruimte vooral. Op zaterdagochtend om twaalf uur liftte ik na college terug naar Gelderland in een busje vol bouwvakkers die de nieuwe RAI bouwden. Eenmaal thuis liep ik binnen een uur in het bos.

However, on some of my days off I had to stay in Amsterdam, and then I wanted to get outside. My landlady suggested the Amsterdamse Bos. I cycled over there. I can still remember the sinking feeling as I looked around the place: this wasn't a forest but a large park, formal, oppressive, with a prim layout. Later, on another occasion, I walked, all by myself, out of the Indisch neighbourhood, past the wooden barracks of a small hospital to the arches of the Schellingwouder Bridge over the Amsterdam-Rijnkanaal. What a breath of fresh air this place was: lying on the bank of the canal, diving into the water every so often, I learned complete exams by heart.

Maar soms moest ik op vrije dagen in Amsterdam blijven en dan wou ik de stad uit. Mijn hospita noemde het Amsterdamse Bos. Ik fietste erheen en ik voel weer de beklemming van toen ik daar rondkeek: dit was geen bos maar een groot park, stijfjes aangelegd, vormelijk, benauwend. Een keer daarna liep ik op eigen houtje de Indische buurt uit, langs een ziekenhuisje van houten barakken, naar de bogen van de Schellingwouderbrug over het Amsterdam-Rijnkanaal. Dat was een verademing: hele tentamens heb ik er in gestampt, liggend tegen de berm van de kanaaloever, af en toe het water in duikend.

It was also possible to walk across the bridge – at that time you could also cross the canal by ferry, near Diemen – **and on the other side I suddenly found myself in full-blown countryside**, a fresh breeze ruffling my hair, on an unpaved footpath between the canal and the IJsselmeer, which murmured softly against the basalt sheet piling. Here, thistles and hogweed were sending their shoots up high, geese and cormorants, sometimes even a spoonbill, were sailing above my head. I kept walking, climbing over fences separating pastures, and, near a handsome fort,

I eventually walked into the fortified town of Muiden. In those days Muiden had a café called De Goyse Boer, which was open twenty-four hours. After a glass of beer I took the bus back to the city, invigorated by an afternoon spent outdoors.

Je kon die brug ook over lopen – je had toen bovendien bij Diemen nog een pontveer om over te steken – **en ik ontdekte dat je aan de andere kant opeens helemaal buiten was**, op een onverhard pad tussen het kanaal en het IJsselmeer dat hoorbaar tegen de beschoeiing van basaltkeien kabbelde en waar een frisse bries door je haren woei. Hoog schoten de distels en de berenklauw daar op, ganzen en aalscholvers zweefden boven je hoofd, soms zelfs een lepelaar. Ik bleef doorlopen, af en toe een hek over klimmend dat weidegronden scheidde, en kwam tenslotte bij een fraai rond tonfort het vestingstadje Muiden binnen. Je had er toen een café dat De Goyse Boer heette en het hele etmaal open bleef. Na een glas bier nam ik de bus terug naar de stad, verkwikt van een middag volkomen buiten.

That, in 1959, was my first discovery of Amsterdam's 'green fingers', as I found out later on they were called. As it turned out, these green fingers penetrated deep into the heart of the capital, from all corners of the city. I explored the green fingers of the Vondelpark via the Schinkel and the Amsterdamse Bos to Aalsmeer, from the Westerpark via Sloterdijk to Halfweg, from the ferry across the IJ along the canal to Watergang and Broek in Waterland, or – an alternative route – through the Vliegenbos via Nieuwendam and Schellingwoude to Durgerdam and the IJsselmeer.

But now it is 2030 and I am walking – or should I say, in all honesty: shuffling? I am inching along – to where I previously found the Florapark. This park used to be even less than the Amsterdamse Bos,

Dat was in 1959 mijn eerste ontdekking van wat men, naar ik later leerde, de 'groene vingers' van Amsterdam noemt. Vanuit alle windstreken bleken ze diep in het hart van de hoofdstad te grijpen. Ik verkende de groene vingers van het Vondelpark via de Schinkel en het Amsterdamse Bos naar Aalsmeer, van het Westerpark via Sloterdijk naar Halfweg, van de pont over het IJ langs het kanaal naar Watergang en Broek in Waterland, of – een variant – door het Vliegenbos via Nieuwendam en Schellingwoude naar Durgerdam en het IJsselmeer.

Nu is het 2030 en ik loop – of moet ik eerlijkheidshalve zeggen: schuifel? het gaat ongeveer voetje voor voetje – naar waar ik toen het Florapark vond. Het was nog minder dan het Amsterdamse Bos, al had het een bescheiden allure door de donkere bosschages en de geheimzinnige doorkijkjes.

although it imposed in a modest way because of its dark groves and mysterious little vistas. **Today however, as I pass beneath the viaduct, a vaster perspective is unfolding: a large roof, covered with lush vegetation, canopies the canal and motorway and merges the former Florapark and Volewijkspark into the new Noorderpark. Here, Amsterdam's green finger got swollen and the city, much greener.** There are vast meadows, undulating horizons, endless lines of elms – heralding the Noord-Holland polders.

Maar zo gauw je onder het viaduct doorkomt ontvouwt zich nu een weidser perspectief: een breed, weelderig begroeid dek overhuift kanaal en autoweg en verbindt het oude Florapark met het oude Volewijkspark tot het nieuwe Noorderpark. Hier liep de groene vinger van Amsterdam een flinke verdikking op, de stad een flinke vergroening. Er zijn wijde graslanden, glooiende verschieten, rijen iepen – voorboden van de Noord-Hollandse polders.

I sit down on a bench and recall how people had gloomily grumbled for many decades. Road construction and residential development would slowly but surely lead to the loss of nature. City-dwellers were in danger of being suffocated by the concrete, and there was no escape! **Looking back however, I see not less but more green, at least more accessible green. I do not call it nature - nature does not exist in the Netherlands - but outdoors, space, green.** When I first came to live in Amsterdam, Het Twiske did not exist, nor did the Gaasperplas. Instead there were pastures, at your service, but with barbwire fences around them.

Ik ga op een bankje zitten en herinner mij het sombere gemopper van vele decennia. Door de aanleg van wegen en woonwijken zou er steeds minder natuur komen. De stedelingen dreigden te verstikken in beton en konden er niet meer aan ontsnappen! **Maar als ik terugkijk is er juist meer groen gekomen, toegankelijk groen tenminste. Ik wil het geen natuur noemen, natuur bestaat niet in Nederland, maar wel: buiten, ruimte, groen.** Toen ik in Amsterdam kwam wonen bestond het Twiske niet, de Gaasperplas evenmin. Daar lagen nog weilanden, tot uw dienst, maar wel met prikkeldraad eromheen.

Despite all threats the green fingers survived, better still: they got bigger. West of Sloterdijk the De Bretten wetland reserve was created. Near the sluices in the Schinkel cyclists and pedestrians came across a new junction: they could now choose to either cross the sluices, going on to the Amsterdamse Bos, or go straight, to the Oeverlanden along the Nieuwe Meer. New dangers kept cropping up. For example, the bridge over the IJssloot was once listed for demolition: a green finger would get amputated. However, in those instances Amsterdam citizens would take up arms. I remember children posting on the bridge in the rain, holding soaked petition lists. The plan has not been heard of ever since.

Ondanks alle bedreigingen bleven de groene vingers bestaan, sterker: ze groeiden. Westwaarts van Sloterdijk kreeg je het moerassige natuurgebied van De Bretten, bij de sluizen in de Schinkel stonden wandelaars en fietsers voortaan op een tweesprong: eroverheen naar het Amsterdamse Bos of rechtdoor naar de Oeverlanden langs de Nieuwe Meer. Telkens dreigden nieuwe gevaren. Op het laatste punt bijvoorbeeld rees het plan de brug over de IJssloot te slopen: een groene vinger geamputeerd. Maar dan kwamen er Amsterdammers in het geweer. Ik herinner mij kinderen die in de regen op die brug stonden met nat geworden handtekeningenlijsten. Van het plan is sindsdien niets meer vernomen.

My very first green finger was amputated before long. In 1964, fences were built there and prohibition signs posted; while swimming in the canal and looking in the direction of the IJsselmeer, I would see ominous clouds of smoke rising against the blue sky. Garbage was being incinerated there. After all, this has to be done somewhere. It did not go on for long though, but by then it had polluted the soil to such an extent that the fences and prohibition signs stayed on: forbidden territory. For forty years! The footpath along the former Zuiderzee, from Muiden to Amsterdam, was not reopened to the public until 2004. Yet now it was more beautiful then ever. With the construction of the new district of IJburg a new park with hills, marshes, and cityscapes had arisen on the shores of the IJmeer.

Mijn allereerste groene vinger werd al gauw afgesneden. In 1964 kwamen er hekken en verbodsborden te staan en als ik weer eens in het kanaal zwom zag ik in de richting van het IJsselmeer onheilspellende rookwolken opstijgen tegen de blauwe lucht. Er werd daar vuil verbrand. Moet ook gebeuren. Lang gebeurde het overigens niet, maar inmiddels was de grond er danig vervuild, dat de hekken en verbodsborden bleven staan: verboden terrein. Veertig jaar lang!

Pas in 2004 werd het wandelpad van Muiden naar Amsterdam langs de vroegere Zuiderzee weer opengesteld. En toen was het ook meteen mooier dan voorheen. Want doordat inmiddels de wijk IJburg werd gebouwd, was aan de IJmeeroever een nieuw park gegroeid, met heuvels, drasland en stadse uitzichten.

I look around me. Four years later, in 2008, Amsterdam-Noord got its Noorderpark. The sun is shining, children are playing in the grass, runners are passing by, perspiring. Flowering rush is blooming, above my head a buzzard is searching for its prey. A knapsacked hiker is passing by. I feel a stab of envy. On foot to Monnickendam, Purmerend, Oostzaan? I did that nearly all my life but now I am not able to go further than the old turning point in the canal by Buiksloot. But hey, that is a darned beautiful place as well! The cottages on the Buiksloterdijk are being reflected in the water just as clearly as back in the days of my youth.

Ik kijk om me heen. Vier jaar later, in 2008, kreeg Noord zijn Noorderpark. De zon schijnt, kinderen spelen in het gras, hardlopers passeren zwetend. Zwanebloemen bloeien, een buizerd speurt boven mij naar prooi. Een wandelaar gaat langs, rugzak om. Ik voel een steek van jaloezie. Te voet naar Monnickendam, Purmerend, Oostzaan? Ik deed het bijna mijn hele leven en nu kom ik niet verder meer dan de oude zwaaikom van Buiksloot. Maar verdorie, die is waarachtig ook mooi! De huisjes op de dijk spiegelen zich er net zo scherp in als toen.

Caro Bonini

Noorderpark
wordt wakker gekust

Prijsvraag
Stadsdeel Amsterdam-Noord

The Noorderpark kissed awake

Design competition
Borough of Amsterdam-Noord

At the crossing of the Waterlandse Zeedijk and the green corridor of the Noordhollandsch Kanaal the Noorderpark has taken up its position. For cyclists, the Noorderpark is a significant junction between several east-west routes and the main north-south route that runs from the ferry across the IJ, through the parks, over the dikes and along the

Centraal op de kruising van de Waterlandse Zeedijk en de Noordhollandsch Kanaal-voeg heeft het Noorderpark positie verworven. Voor het fietsverkeer heeft het Noorderpark in oost-west richting betekenis als verdeelpunt voor de noord-zuid route die loopt vanaf de pont over het IJ, door de parken, over de dijken en langs het kanaal, richting Waterland. Het heeft daardoor een relevante relatie met de binnenstad. Vanwege de centrale ligging en de omvangrijke maat heeft het stadsdeelbestuur besloten om van het

canal, to Waterland. Hence the park has a functional relationship with the Amsterdam city centre. The Noorderpark results from the decision of the borough council to merge the Florapark and the split halves of the Volewijkspark into one park with a large total area and central position.

This decision was sparked by the opportunity to lower the Nieuwe Leeuwarderweg as part of the construction activities for the North/South metro line. In May 2003 the borough council organized a design competition for the new city park. Of the thirty-six entries five renowned landscape architectural practices, with their chosen partners, were selected to submit a design concept. The final contenders were:

Florapark en de twee delen Volewijkspark één Noorderpark te maken. De kans om de Nieuwe Leeuwarderweg te verlagen vanwege de bouw van de Noord/Zuidlijn, gaf hier direct aanleiding toe. In mei 2003 heeft stadsdeel Amsterdam-Noord een ontwerpprijsvraag uitgeschreven. Zesendertig bureaus schreven zich in. Vervolgens zijn vijf gerenommeerde ontwerpbureaus geselecteerd om voor het nieuwe park een schetsontwerp te maken:

- **Bureau B+B** – with 'Amsterdam-Noord flourishes!'
- **Juurlink en Geluk stedenbouw en landschap / Architectuurstudio Herman Hertzberger** – with 'Promenade'
- **Karres en Brands Landschapsarchitecten B.V. / Blue Architects / Nelen & Suurmans Consultants B.V. / RODOR Advies** – with 'Park Noord: strong as a dike'
- **Lodewijk Baljon Landschapsarchitecten / UN studio / SmitsRinsma / ARUP** – with 'Connected'
- **West 8 Urban Design & Landscape Architecture Ltd** – with 'Leeghwater Park'

- **Bureau B+B** – met Amsterdam-Noord bloeit!
- **Juurlink en Geluk stedenbouw en landschap / Architectuurstudio Herman Hertzberger** – met Promenade
- **Karres en Brands Landschaparchitecten B.V. / Blue Architects / Nelen & Suurmans Consultants B.V. / RODOR advies** – met Een Dijk van een Park
- **Lodewijk Baljon Landschapsarchitecten / UN studio / SmitsRinsma / ARUP** – met Verbonden
- **West 8 Urban Design & Landscape Architecture B.V.** – met Leeghwaterpark

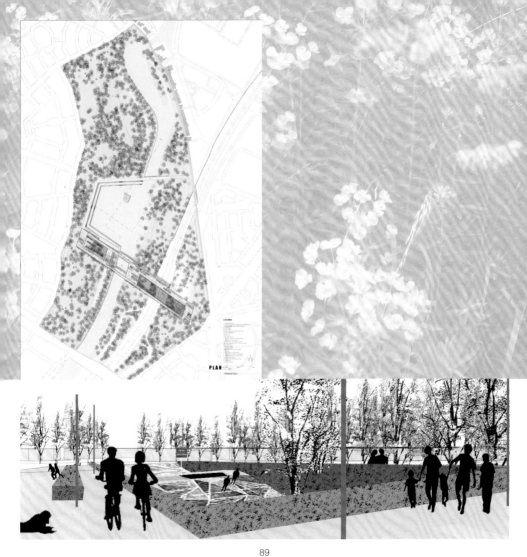

PLAN

89

West 8 was voted winner of the competition.

West 8 is winnaar van de ontwerpprijsvraag Stadspark Amsterdam-Noord.

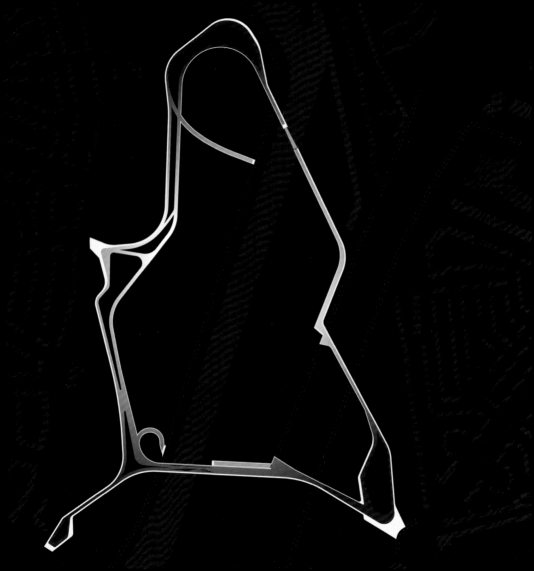

The panel of judges, chaired by Mrs Marjanne Sint, unanimously voted for its design 'Leeghwater Park'. The panel was impressed by the quality and originality of all designs submitted.

In their report, the judges noted that they were very much taken with the spatial design of West 8, **because it preserves the trichotomous character of the park while unifying the three park parts through a circular route and spatially effective layout.** According to the report, the design uses simple but powerful elements that relate to the landscape of the province of North Holland and Amsterdam-Noord. Tree-lined avenues, clusters of trees, fields, connections, the circuit, the central square and park entrances are shaping the park according to classical

De vakjury heeft zich unaniem uitgesproken voor het ontwerp Leeghwaterpark van West 8. De jury, onder voorzitterschap van Marjanne Sint, was onder de indruk van de kwaliteit en de originaliteit van álle ingediende ontwerpen.

De jury zegt getroffen te zijn door de ruimtelijke opzet van het plan van West 8, waarbij **de bestaande driedeling in karakter blijft bestaan, terwijl de rondgaande route en de ruimtelijke invulling het tot een eenheid maakt.** In het ontwerp is gebruik gemaakt van eenvoudige, krachtige middelen die aansluiten bij het Noord-Hollandse landschap en Amsterdam-Noord. Lanen, boomgroepen, vlakken, verbindingen, het rondje, het centrale plein,

principles, while fully utilizing the existing qualities of the area. The design fits well within its surroundings, locally and within the context of the whole city. **The park accommodates peace and quiet as well as fun and pleasure.** The traditional approach of the design and its reference to the landscape of North Holland are appreciated. The down-to-earth sincerity of the proposal shows that the designers of West 8 have grasped the essence of North Amsterdam.

entrees – alles volgens klassieke principes – maken het park, waarbij de bestaande kwaliteiten van het gebied volledig zijn benut. Het geheel past in de omgeving, in Amsterdam-Noord en in de stad. **Een geëigend stadspark dat functioneert bij rust en vertier.** De traditionele aanpak en de verwijzing naar het Noord-Hollandse landschap wordt gewaardeerd. De nuchtere oprechtheid van het plan laat zien dat West 8 Amsterdam-Noord begrijpt.

The Noorderpark design

Adriaan Geuze, West 8 Urban Design & Landscape Architecture Ltd

A park is for people. For people from the neighbourhood, from the city, from the surrounding region. To rest and recover from the stress and the rush, or to be active, alone or with other people: from time to time we all need that. And so we often run into one another in the park. A park is a place to meet people, and that certainly applies to the Noorderpark as well. 'Boy meets girl', that's what a park is about. Open to everyone, a park is a public space that does not demand anything from anyone. Except to behave properly.

Ontwerp Noorderpark

Adriaan Geuze, West 8 Urban Design & Landscape Architecture B.V.

Een park is voor mensen. Voor mensen uit de buurt, uit de stad, uit de omgeving. Even bijkomen van de drukte, of juist actief zijn, zo mogelijk met anderen: daar hebben we allemaal van tijd tot tijd behoefte aan. We komen elkaar dan ook regelmatig tegen in het park. Het park, dus zeker ook het Noorderpark, is een plek om anderen te ontmoeten; 'boy meets girl', daar gaat het om in een park. Een park is openbaar, omdat iedereen er mag komen en van niemand iets wordt gevraagd. Behalve dan je netjes te gedragen.

The park in Amsterdam-Noord is already there. On the one hand its new design should be modest but on the other hand it should also offer everything that people look for in a park. Large changes in the overall framework and layout of the park are therefore not included in our proposal. As the title of this chapter points out, **all we do is kiss the park awake.** We are awaking the park by uniting its various parts and better utilizing the existing elements.

In Amsterdam-Noord bestaat het park al. Een ontwerp voor dit park dient dan ook enerzijds bescheiden te zijn en anderzijds alles te bieden wat mensen in een park zoeken. Grote ingrepen in de contouren en inrichting van het park stellen wij dan ook niet voor. **We hebben zoals gezegd het park slechts wakker gekust.** Dat doen we vooral door de parkdelen met elkaar te verbinden en de bestaande elementen beter te benutten.

The Noorderpark design includes a number of long, straight lines that refer to the vistas of the landscape of North Holland; the park heralds the panorama of water, polders, and land reclamation that is typical of this landscape. The Noorderpark is a link between the hectic city and the vast, open country where perspective lines converge on the horizon. It is a place where routes intersect; where people are always passing through, on their way from one destination to another. A park inviting us to take not the shortest route, but the nicest, the most exciting one. A place where we can watch flowers bloom and trees drop their leaves. A place where we can meet one another, but also a place where we can be alone for a while.

In het ontwerp van het Noorderpark zijn een aantal lange lijnen opgenomen die verwijzen naar de vergezichten in het Noord-Hollandse landschap. Het Noorderpark fungeert als aankondiging van dit landschap dat gekenmerkt wordt door de weidsheid van water, polders en droogmakerijen. Het park is een schakel tussen de hectiek van de stad en de uitgestrekte velden met perspectivische lijnen naar de horizon, een plek waar routes elkaar kruisen; waar altijd mensen zijn, op weg van de ene bestemming naar de andere. Een park dat uitnodigt niet de kortste route te nemen, maar de leukste, de spannendste. Een plek waar we bloemen zien bloeien en de bladeren van de bomen zien vallen. Een ruimte waar we elkaar ontmoeten, maar ook waar we even alleen kunnen zijn.

The original English landscape style of the Florapark and Volewijkspark is still being appreciated, and the new Noorderpark will adopt several of its characteristics. Furthermore, use and management of the park should be geared towards the users of the present and future generations. The wishes of these users are diverse, varying from seeking peace and quiet and experiencing nature, to picnicking and playing sports. The Noorderpark will offer room for all of these activities.

The various elements of the new park are briefly explained after this. The canal is a central element of the park as well as the most important link to Broek in Waterland. A recreation route as well as an ecological corridor, the canal with its green banks is a vital link within the city.

De oorspronkelijke Engelse landschapsstijl van het Flora- en Volewijkspark wordt nog steeds gewaardeerd. Enkele kenmerken daarvan kunnen dan ook in het nieuwe park worden opgenomen. Daarnaast dient het park qua gebruik en beheer te zijn toegespitst op de gebruikers van nu en komende generaties. De wensen van die gebruikers zijn divers, variërend van rust zoeken en natuur beleven tot picknicken en sportief recreëren. De mogelijkheden daarvoor worden in het Noorderpark geboden.

De onderdelen van het nieuwe park worden hierna kort toegelicht.
Het kanaal is zowel het centrale parkelement als de belangrijkste verbinding met Broek in Waterland. Niet alleen als recreatieve route maar ook als ecologische verbinding is het kanaal met zijn groene oevers een belangrijke schakel in de stad.

By planting a double line of elm trees along its east side the central position of the canal in the park will be emphasized. The double line of elms will continue south of the Johan van Hasseltweg until the point where the canal hits the Nieuwe Leeuwarderweg. The dike with elms and the bike path on the west side of the canal will be maintained. A new promenade will be built on the east side of the canal.

The new promenade will be almost level with the canal so their relationship will be optimal. Custom-designed edging will separate the cobblestone pavement from the water. The promenade may be used in many different ways: for a stroll in the evening sun or a swim in summer; it will also be a great spot for anglers and for passing skippers to moor their boats.

Door ook aan de oostzijde van het kanaal iepen aan te planten krijgt het water als centraal park-element nog meer nadruk. De dubbele rij iepen wordt ten zuiden van de Johan van Hasseltweg doorgezet tot aan het punt waar het kanaal de Nieuwe Leeuwarderweg ontmoet. De dijk met iepen en het fietspad aan de westzijde van het kanaal blijven ongewijzigd. Aan de oostzijde van het kanaal wordt een nieuwe boulevard aangelegd.

Het hoogteverschil tussen de nieuwe boulevard en het water is klein zodat de relatie met het kanaal optimaal is. Een speciaal ontworpen rand-element vormt de scheiding tussen de verharding van kasseien en het water. De boule-vard kan op veel manieren worden gebruikt: slenteren in de avondzon en zwemmen in de zomer; bovendien is het een goede stek voor vissers en passanten kunnen hier hun boot aanmeren.

The roof over the Nieuwe Leeuwarderweg will rise above the 'field for outdoor events' that borders the canal. The balcony of the roof will offer a panoramic view of the park. The space below the balcony will accommodate a rowing club, a restaurant and other functions. On top of the balcony, three rows of linden trees will be planted in the gravel surface.

Het dek over de Nieuwe Leeuwarderweg ligt hoger dan het evenementenveld langs het kanaal. Onder het dek aan de boulevard komen functies zoals een roeivereniging en een café-restaurant. Aan de bovenzijde (balkon) heeft men een panoramisch uitzicht over de verschillende parkdelen. Hier worden linden aangeplant, drie rijen dik, met daaronder halfverharding van grind.

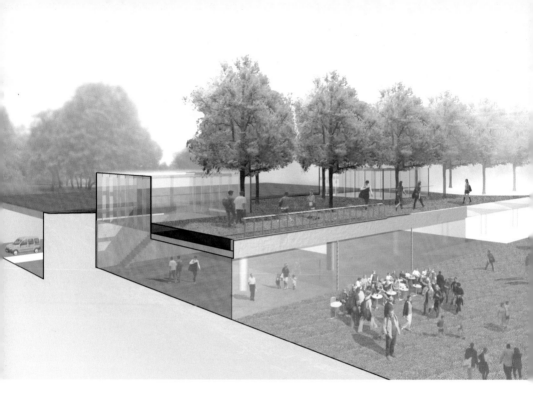

The uniting element is the circuit. This new, circular route will be the park's great attraction. It will cross the Nieuwe Leeuwarderweg and the canal twice, follow the geographic relief of the various parts of the park and give access to all park functions, including the play grounds, the sunbathing area, the playing field, the 'field for outdoor events' and the leash-free dog zones. From the circuit you simply step onto the grass and look for a picnic spot or a place to read a book. You can also enjoy watching other people running, biking or skating by, or sit down on a bench and gaze at the tree tops being cradled by the wind. The circuit will be multifunctional: it will be wide enough for walking, running, biking and skating. The layout of the circuit will be based as much as possible on the present pattern of footpaths and locations of trees; its shape will respect the original layout of the

Het bindend element is het circuit. Deze nieuwe route is de grote attractie van het park. Het circuit steekt twee maal de Nieuwe Leeuwarderweg en het kanaal over, volgt de hoogteligging van de verschillende onderdelen van het park en ontsluit alle parkfuncties, zoals kinderspeelplaatsen, lig- en speelweiden, het evenementenveld en plekken waar honden vrij mogen rondlopen. Vanaf het circuit stapt men op het gras en zoekt men een plek om te picknicken of een boek te lezen. Men kan ook genieten van de joggende, fietsende of skatende voorbijgangers, of plaats nemen op een bank en staren naar de in de wind wiegende toppen van de bomen. Het gebruik van het circuit is multifunctioneel: wandelen, joggen, fietsen, skaten, de route is daar breed genoeg voor. De ligging van het circuit is zoveel mogelijk gebaseerd op het bestaande padenpatroon en de plaats van bestaande bomen. De vorm van het circuit respecteert de oorspronkelijke opzet van de parken. Vanuit de omgeving sluiten de parktoegangen

former parks. The park entrances are directly connected to the circuit. At the main entrances of the park the circuit will be wider than elsewhere and offer space for park furnishing such as benches. A sea of flowers will greet visitors entering the park via one of the main entrances. From all entrances, a footpath with leaf print will guide visitors through the park.

direct aan op het circuit. Bij de hoofd-entrees van het park is het circuit extra breed uitgevoerd en biedt plaats aan het parkmeubilair. Wie het park via een hoofd-entree ingaat, wordt ontvangen door een bloemenzee. Een loper met bladmotief leidt de bezoeker vanaf de ingangen door het park.

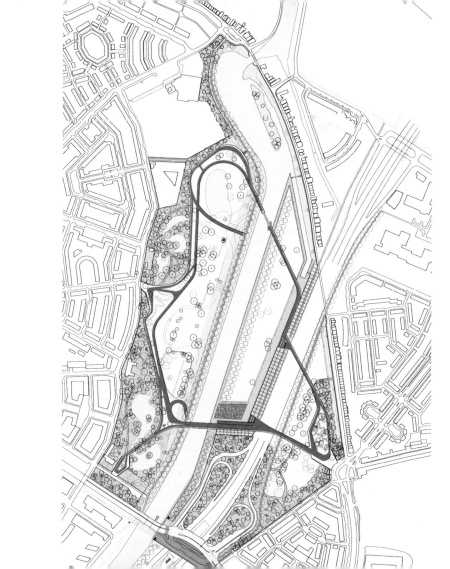

The circuit will include two bridges. The southernmost bridge will be an attraction, a spectacular intertwining of different velocities. Cyclists will take a different route over the bridge than pedestrians; at times they may (almost) meet one another. Pedestrians can choose to take the high climb and enjoy the view over the canal. The low-lying northern bridge is slender and transparant. It can be opened for passing ships.

In het circuit liggen twee bruggen. De zuidelijke brug is een attractie, een spectaculaire verweving van verschillende snelheden. Fietsers nemen een andere route dan wandelaars, en ze komen elkaar soms (bijna) tegen. De wandelaar kan kiezen voor de hoge klim en genieten van het uitzicht over het kanaal. De laaggelegen noordelijke brug is slank en transparant. Deze kan geopend worden om boten te laten passeren.

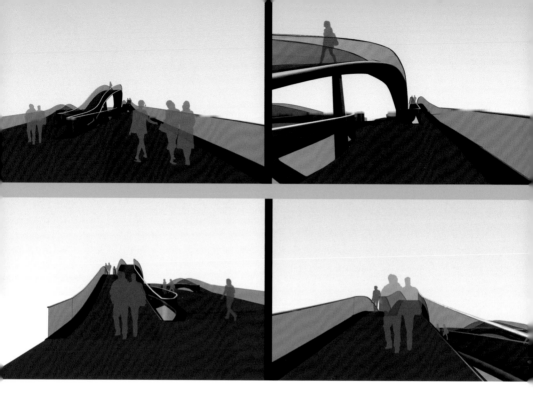

The elaborate network of bike routes in Amsterdam-Noord has directly influenced the park design, particularly the routes from the Central Station of Amsterdam to the centre of Amsterdam-Noord, and the latent east-west connection near the Johan van Hasseltweg. The north-south route will be enhanced by the construction of a new bike path through the park, on the east side of the Nieuwe Leeuwarderweg.

Het fijnmazige netwerk van fietsroutes in Amsterdam-Noord heeft direct invloed op het parkontwerp. Het gaat hierbij met name om de fietsroutes van het Centraal Station naar het centrum van Amsterdam-Noord en de ontbrekende oost-west verbinding ter hoogte van de Johan van Hasseltweg. Ten behoeve van de noord-zuid route wordt er een nieuw fietspad in het park aangelegd aan de oostzijde van de Nieuwe Leeuwarderweg.

The park edge will consist of dense trees growing on a floor of ivy. In this green zone between the circuit and the surrounding neighbourhoods the ivy will also grow upwards onto the tree trunks, creating the atmosphere of an Olivier Bommel landscape: mysterious but transparent, shady but not obscure (Olivier Bommel is a famous Dutch cartoon character). Tree diversity will be high, offering a variety of shapes, flowering periods and autumn colours. The green zone will shelter the park and increase the contrast between the lawns in the heart of the park and the surrounding neighbourhoods. By keeping its undergrowth trimmed the green zone will be sufficiently transparent to allow people on the surrounding streets a view of the park. The ivy will soften the park edges and keep small birds in the area.

Het park wordt omsloten door een rand met dicht opeenstaande bomen, de grond is bedekt met een tapijt van klimop. In deze rand tussen het circuit en de omliggende wijken groeit de klimop ook tegen de boomstammen, zodat er een groene zone ontstaat met de sfeer van een Olivier B. Bommel landschap. Mysterieus maar transparant van opbouw, schaduwrijk maar niet onoverzichtelijk. De verscheidenheid aan bomen is groot, zowel in groeivorm als in bloeiwijze en herfsttinten. De randzone geeft het park beslotenheid en versterkt het contrast tussen de groene velden centraal in het park en de bebouwing rondom. Door de onderbegroeiing laag te houden is er nog voldoende openheid om tussen de bomen door het park in te kijken. Het park wordt dus al vanaf de straat beleefd. De klimop verzacht de randen en houdt de kleine vogels in de buurt.

The park edge on the west side will be turned into an ecological zone with wet and dry areas; the low-lying footpath through this zone will be muddy at times. There will be ponds with reed borders. The largest pond will include a few islets to allow the conservation of existing trees. There will be views across the ecological zone at various points along the track.

De rand aan de westzijde is ingericht als ecologische zone, met natte en droge delen. Het pad door de ecologische zone ligt laag, wat natte voeten kan geven. De waterpartijen zijn omzoomd met rietkragen. In de grote waterpartij liggen eilandjes waarop bestaande bomen gehandhaafd kunnen blijven. Vanaf verschillende punten zijn vergezichten door de ecologische zone mogelijk.

The open, central area is the space enclosed by the circuit. It currently consists of a number of meadows and scattered trees. These meadows will be combined to form one continuous, open field. The old rose garden will be removed. To compensate for this loss flower gardens will be planted at strategic locations near the main entrances. The open meadow, its grass kept short, will provide room for sports and play, picnicking and sunbathing.

For dog owners the park will have leash-free zones where dogs are allowed to run free. This way, inconvenience to the other park visitors will be kept to a minimum.

Het open middengebied is het gebied binnen het circuit en bestaat uit een aantal velden met verspreid staande bomen. Deze velden worden gecombineerd tot één aaneengesloten open veld. Daarbij wordt de bestaande rozentuin verwijderd. Om dit verlies te compenseren worden er op strategische plekken bij de hoofd-entrees van het park bloementuinen gepositioneerd. De ligweide heeft kort gemaaid gras en biedt gelegenheid voor sport en spel, picknicken en zonnebaden.

Voor hondenbezitters worden er in de toekomst speciale gebieden gereserveerd zodat de honden alle ruimte krijgen en de overlast voor andere parkgebruikers tot een minimum wordt beperkt.

On the dike and below the elm trees between the dike and the Noordhollandsch Kanaal the grass will be managed extensively. In autumn and winter it will be kept short, just like the central meadow, but in spring and summer it will be growing high, and include wild flowers such as buttercup and cow parsley.

The 'field for outdoor events' is an important user space in the park. Centrally located on the canal and shielded by the Nieuwe Leeuwarderweg this field is particularly suitable for staging all sorts of public events. Raised one meter above the pavement of the adjoining promenade the field will be bordered by a concrete seating edge as well as grassy banks that invite to lie down and relax.

Op de dijk en onder de iepen tussen de dijk en het Noordhollandsch Kanaal wordt het gras extensief beheerd. In de herfst en in de wintermaanden is het gras even kort gemaaid als op de aangrenzende ligweide maar in het voorjaar en in de zomer staat het gras hoog en is er plaats voor boterbloemen en fluitenkruid.

Het evenementenveld is een belangrijke gebruiksruimte in het park. Door de centrale ligging aan het water en de afscherming van de Nieuwe Leeuwarderweg is dit veld bij uitstek geschikt voor het organiseren van allerlei evenementen. Het veld ligt een meter hoger dan de verharding van de boulevard rondom en heeft een randdetaillering bestaande uit een betonnen zitrand en een grastalud waarop het heerlijk luieren is.

Located between the 'field for outdoor events' and the southernmost bridge the central square is particularly suitable as a meeting point. From the bridge and the roof balcony you will have a splendid view of the square with its sidewalk cafés and kiosks. The square will serve as an important link in various pedestrian routes, for example from the events field along the promenade to the metro station, or from the events field to the park entrance near the Noorderster.

The open meadow in the Volewijk part of the park is characterized by a line of existing trees on a lawn and a line of new elm trees along the Nieuwe Leeuwarderweg. The present paddling pool has been integrated into the design; it will be next to the open meadow.

Tussen het evenementenveld en de meest zuide-lijke brug ligt het centrale plein. Deze plek is de ontmoetingsplek bij uitstek. Vanaf de brug en vanaf het balkon is er een fraai uitzicht op het plein met terrassen en kiosken. Het plein vormt een belangrijke schakel in de looproutes, bijvoor-beeld van het evenementenveld over de boulevard naar het metrostation of van het evenementen-veld naar de entree van het park aan de Noorderster.

Het open veld in het parkdeel Volewijk wordt gekenmerkt door een grasveld onder een bestaande bomenrij en een nieuwe iepenlaan aan de rand van de Nieuwe Leeuwarderweg. De bestaande speelvijver wordt geïntegreerd in het ontwerp en ligt aan de rand van het open gebied.

The Noorderpark will be a park for the borough of Amsterdam-Noord. Public events held here will reach out to the Greater Amsterdam area and beyond. **Walking, running, biking, sailing, paddling, rowing, picnicking, barbecuing, playing soccer, observing wildlife, learning about plants and trees, drinking coffee, visiting an exhibition, lying down on the grass, meeting a loved one: it is all going to happen in the Noorderpark. Scents, colours and sounds will contribute to the feeling of having left the hectic city behind for a while, of being in another world that moves at a different pace.**

Het Noorderpark is een park voor het stadsdeel Amsterdam-Noord. De evenementen hebben een uitstraling naar heel de stad en daarbuiten. Wandelen, joggen, fietsen, varen, peddelen, roeien, picknicken, barbecuen, balletje trappen, dieren observeren, planten en bomen leren kennen, koffie drinken, een tentoonstelling bekijken, in het gras liggen, een geliefde ontmoeten; het gebeurt allemaal in het Noorderpark. Geuren, kleuren en geluiden dragen bij aan het gevoel even uit de hectiek van de stad te zijn, in een andere wereld, met een ander tempo.

Halte Noorderpark!

Allard Jolles, Dienst Ruimtelijke Ordening Amsterdam

Next stop: Noorderpark!

Allard Jolles, Physical Planning Department, City of Amsterdam

In November 2004, at the invitation of the borough of Amsterdam-Noord, a discussion meeting is held on the top floor of the Shell Tower on the northern IJ bank. The meeting is attended by Adriaan Geuze (director of West 8 Urban Design & Landscape Architecture), Maike van Stiphout (director of DS Landscape Architects), Dennis Moet (researcher, Buro Park) and Ruwan Aluvihare (landscape architect, Physical Planning

In november 2004 vindt op uitnodiging van Stadsdeel Amsterdam-Noord boven in de Shelltoren aan het Amsterdamse IJ een rondetafelgesprek plaats tussen Adriaan Geuze (directeur van bureau West 8 Urban Design & Landscape Architecture, de ontwerpers van het plan voor het Noorderpark), Maike van Stiphout (directeur van DS landschapsarchitecten), Dennis Moet (onderzoeker, Buro Park) en Ruwan Aluvihare (landschapsarchitect bij de Dienst Ruimtelijke Ordening Amsterdam).

Department, City of Amsterdam). Under the direction of Allard Jolles, they discussed the present-day significance of Amsterdam parks and analysed the Noorderpark design in the context of modern park planning. Specific discussion themes were necessity, connections, the park as a meeting place, liveliness, quality and the park as a brand. All of which determines the appearance of a park and its significance in an urban environment.

Onder leiding van Allard Jolles wordt een antwoord gezocht op vragen over de tegenwoordige betekenis van een park in Amsterdam en wordt het ontwerp van het Noorderpark geanalyseerd in de context van moderne parkplanning.
Aan bod komen thema's als noodzaak, verbindingen, het park als ontmoetings-plek, levendigheid, kwaliteit en het park als merk. Al deze elementen bepalen hoe een park er uit zou moeten zien en wat een park in een stedelijke omgeving kan betekenen.

Necessity

During a time in which Amsterdam has had to cancel several projects for various reasons, among which the economic recession, the borough of Amsterdam-Noord has nevertheless decided to start developing the Noorderpark. Does this make sense, considering that a park does not generate any revenue?

Maike van Stiphout: "Green should get priority! Only then the future park will have beautiful, fully-grown trees. In park development you should always set priorities based on what you expect. Particularly the Volewijkspark has a rather young atmosphere. You should take into account the time needed for planning and for plants and trees to grow. To not do anything now is just not an option." Ruwan Aluvihare: "It makes sense to tag along with the construction of the North/South

Noodzaak

In een periode van economische recessie, waarin Amsterdam bepaalde projecten heeft moeten schrappen of om andere redenen niet door ziet gaan, kiest stadsdeel Amsterdam-Noord toch voor het ontwikkelen van het Noorderpark. Is dat wel zinvol, vooral ook omdat een park geen geld opbrengt?

Maike van Stiphout: "Groen moet eerst! Dan heb je straks mooie volwassen bomen in je park. Met parkaanleg moet je altijd voorsorteren op wat je verwacht. De sfeer van vooral het Volewijkspark is nu aan de jonge kant. En behalve de planningstijd zit je ook met de groeitijd van het groen. Nu niets doen is geen optie." Ruwan Aluvihare: "Het is verstandig alvast mee te lopen met de aanleg van de Noord/Zuidlijn, al is het Noorderpark misschien pas over één generatie helemaal klaar. Door economische omstandig-

metro line now, even if it would take a whole generation to complete the Noorderpark. Because of the economic situation the implementation should be phased anyhow. It's great that Amsterdam-Noord recognizes this necessity, because the project should remain independent, also in financial terms. It is not part of other large projects, like the Beatrixpark is embedded in the Zuidas project." **Dennis Moet:** "This is the moment to act, indeed. The park is the answer to the growing building density in Amsterdam-Noord. The environment is going to change from local to metropolitan, due to the new neighbourhood at the former Shell factory site and other urban developments in Noord. The character of the park will change."

Adriaan Geuze: "All these construction activities provide us with good reasons to improve what is already there. Soon, part of the park will be

heden zal de uitvoering sowieso gespreid plaats-vinden. Ik vind het knap van Amsterdam-Noord dat ze dit onderkennen, want het project moet zelfstandig blijven, ook financieel. Het maakt geen deel uit van een ander groot project, zoals het Beatrixpark dat in de Zuidas is verankerd." **Dennis Moet:** "Het juiste moment is inderdaad aangebroken. Het park is het antwoord op de verdichting van Amsterdam-Noord. De omgeving gaat veranderen, van lokaal naar grootstedelijk,

door de nieuwe wijk op het Shellterrein en de andere stedenbouwkundige opgaven in Noord. Het park zal van karakter veranderen."
Adriaan Geuze: "Al deze bouwactiviteiten zijn een goede aanleiding om te verbeteren wat er is. Een deel van het park wordt binnenkort bouwterrein voor de Noord/Zuidlijn, met alle overlast van dien. Dus we gaan nu beginnen: eerst de bomen goed neerzetten en aanvullen, en het grasveld goed maken zodat je er beter

turned into a construction site for the North/South metro line, and this will cause inconvenience. That is why we should start now: first, making sure that there are trees in the right places, adding more of them where needed, and making the grass soccer-proof. This is not very expensive. The initial investment in the park is simply elaborating on what is already there, and making sure that it will serve as a basis for the next hundred years. The present park has two playgrounds, that's a starting point. We should stay ahead of the development of the IJ bank, as this will bring in a different crowd. Amsterdam-Noord is alive and will not remain poor, in contrast to popular belief. For all inhabitants of Amsterdam-Noord, the Noorderpark will be the first, nearest and most accessible park." **Van Stiphout:** "The park will expand; three existing parks are being merged into one new park. Its size

kunt voetballen. Dat is niet zo duur. De park-investering bestaat in eerste instantie uit voort-borduren op wat er is en zorgen dat je daar vervolgens honderd jaar mee verder kunt. Bovendien zijn er al twee beheerde kinderspeel-plaatsen, dus de basis is aanwezig. We moeten de IJoeverontwikkeling voor zijn, want straks komt hier ook ander publiek. Amsterdam-Noord is vitaal en blijft niet arm, in tegenstelling tot wat het cliché zegt. Het is voor alle noorderlingen straks het eerste, dichtstbijzijnde en best bereik-bare park." **Van Stiphout:** "Het park wordt opge-schaald, drie bestaande parkdelen worden één geheel, waardoor de grootte van het park eindelijk in verhouding komt te staan tot de grootte van het stadsdeel." **Geuze:** "Meer dan dat doen we eigenlijk niet, alles ligt er al, we kussen het park alleen wakker."

will be proportional, finally, to the size of the borough as a whole."

Geuze: "That's all we do, really. Everything is already there; all we do is kissing the park awake."

Connections

Aluvihare: "The construction of the North/South metro line will, among others, change the dynamics of the borough. The park will benefit from this." Van Stiphout: "The metro will serve to increase the accessibility of the park during large events. But you won't take the metro when going to the park for an everyday visit." Geuze: "I feel neutral about that. The park is going to be the first metro stop in Noord. This will be a simple way of attracting more visitors. One thing I do miss is a prominent park entrance, a structure of some sorts, near the metro station."

Van Stiphout: "The metro station will be called 'Noorderpark', I hope? Also, it would be great if at this station you could transfer to the boat to Waterland. That would provide an additional reason to travel by public transport."

Verbindingen

Aluvihare: "Een effect van de aanleg van de Noord/Zuidlijn zal zijn dat er een andere dynamiek in Amsterdam-Noord ontstaat. Dat effect is bevorderlijk voor het park." Van Stiphout: "Die metro is vooral goed voor de bereikbaarheid van het park bij grotere evenementen. Om gewoon naar een park te gaan, ga je namelijk niet in een metro zitten". Geuze: "Ik sta hier neutraal tegenover. De eerst halte in Noord wordt straks het park. Zo krijg je er op een simpele manier bezoekers bij. Wat ik wél mis is een markante park-entree bij de metro, liefst in de vorm van bebouwing." Van Stiphout: "Die metrohalte gaat toch wel 'Noorderpark' heten? En het zou leuk zijn als je er kan overstappen op de boot naar Waterland. Dat zou een extra reden zijn om met het openbaar vervoer te gaan."

Aluvihare: "Both the Noordhollandsch Kanaal and the Nieuwe Leeuwarderweg need bridges for cyclists and pedestrians. For years that has been the wish of the borough. The new park will finally make this happen. The bridges could become the symbol of Amsterdam-Noord. The park will serve the neighbourhood; the bridges will serve all of Amsterdam-Noord." **Moet:** "I agree. The bridges will boost the unity of the borough, and therefore transcend their significance for the park. The Noorderpark is going to determine Amsterdam-Noord's identity. To be able to connect to these routes and optimise their use is one of the most interesting qualities of this location."

Geuze: "These bridges are relatively expensive, but they are essential. The routes are already there, but they're cut short at the canal.

Aluvihare: "Het Noordhollandsch Kanaal en de Leeuwarderweg moeten voor fietsers en voetgangers overbrugd worden. Dat is al jaren een wens van het stadsdeel. Dankzij het parkplan gebeurt het eindelijk. Misschien worden de bruggen wel het symbool van heel Amsterdam-Noord. Het park is voor de buurt en de twee bruggen zijn voor heel Amsterdam-Noord." **Moet:** "Dat denk ik ook. De bruggen bevorderen de eenheid van het stadsdeel, en overstijgen zo hun waarde voor het park. Het Noorderpark gaat de identiteit van Amsterdam-Noord bepalen. Die doorlopende routes optimaal benutten en inschakelen is juist het interessante van de plek."

Geuze: "Die bruggen kosten relatief veel geld, maar zijn belangrijk. De routes liggen er al, maar stoppen bij het kanaal. Voor een ontwerper is zo'n knooppunt voor fietsers een geschenk: in het Noorderpark komen straks allerlei fietsroutes samen. Wij accentueren dat nog door de meest

A junction of bicycle routes like this one is a gift to the designer: in the Noorderpark many bike routes will be coming together. We are going to accentuate this by making the southernmost bridge an objet d'art. From this bridge cyclists will be sailing down a sloping path, following a loop through the park. It will not be the shortest way to the ferry, but it will be the most elegant one. This way, cyclists will have the best views of the green, and be most in touch with the park. And being in touch, that is what a park is about: it is primarily a meeting place. All other things are of minor importance, really. The convergence of all routes in one place is something that designers can really turn to their advantage."

zuidelijke brug tot een object te maken. Van daar ga je straks met een hellingbaan naar beneden, en vervolgens met een lus door het park. Zo fiets je niet over de kortste route naar de pont, maar wel over de sierlijkste. De fietser heeft daar straks maximaal uitzicht over het groen, en het meeste contact met het park. En contact, daar is een park toch in eerste instantie voor, het is in eerste instantie een ontmoetingsplek. De rest is eigenlijk bijzaak.

Het concentreren van alle routes op één plek, daar haal je als ontwerper zoveel voordeel uit."

Meeting

Moet: "A park should not become a mere transit route." **Van Stiphout:** "Yes, because who else are coming to the park?" **Geuze:** "All you have to do is turn the bike route junction into a beautiful spot, a green, car-free oasis. In fact, this way you will have met the main condition for a good park. Besides, just like the Vondelpark, this park is part of a route, not more than that. But once you have a bike route junction in a park it cannot go wrong anymore; there will be a pleasant bustle of people coming and going all day long. Watching others and being watched yourself. That's why we are planning to build a square at the junction, as well as a terrace that will be sunlit in the afternoons and early evenings. To build the terrace anywhere else just never entered our minds. The terrace will be sheltered by acoustic fencing, and will offer its

Ontmoeting

Moet: "Een park moet niet te veel een doorgangsroute worden." **Van Stiphout:** "Ja, want wie komen er verder in dit park?" **Geuze:** "Je moet gewoon een mooie plek maken van een knooppunt van fietsroutes, een groene plek waar je niet door auto's wordt gehinderd. Dan heb je eigenlijk al de hoofdvoorwaarde van een goed park bereikt. Daarbij is dit park slechts onderdeel van een route, niet meer, net als het Vondelpark. Op het moment dat er een brandpunt van fietsroutes in een park ligt, kan het al niet meer stuk, dan heb je de hele dag reuring. Zien en gezien worden. Daarom gaan we op die kruising ook een plein maken. Daar zal een terras komen, met 's middags en vroeg in de avond volop zon. Wij hebben geen enkele ambitie gehad om die plek ergens anders te willen leggen. Bezoekers hebben daar zon, een geluidswal als

visitors sunshine and views of the meadow and canal. Occasionally, a market may be held here. This part of the park will have to be paved, otherwise it will turn into Dutch mud in no time." **Van Stiphout:** "That's right. If there are no cyclists in the park there is no social control. Once people cycle there, the park is brought to life; for instance, cyclists will respond to you when you're playing soccer."

rugdekking en het veld en het kanaal als uitzicht. Op het terras past ook af en toe een markt. Dit deel van het park wordt daarom verhard uitgevoerd, anders wordt het in no time Hollandse blubber." **Van Stiphout:** "Dat klopt. Als er niemand door heen fietst, is de sociale controle ook weg. Want als er mensen fietsen, gaat het leven en krijg je bijvoorbeeld reactie als je aan het voetballen bent."

Liveliness

Geuze: "I have seen many parks, and I don't think that the ethnic make up of the local population makes much difference as to how these parks are used. Always and everywhere, people are coming to a park for various reasons. Depending on the time of day, there will be different users. It is a place to have lunch for one, to play for another, and to quietly read the newspaper for a third. You will have a good park if all these activities are allowed to overlap. Ethnicity is irrelevant."

Aluvihare: "That is also my experience. Immigrants appreciate trees in the same way as the locals. However, Dutch people do have a different attitude toward water, different than any other people." Geuze: "In Amsterdam you see these baby baths everywhere; that is so much fun. It is characteristic of Amsterdam; all colours intermingling. Children are

Levendigheid

Geuze: "Ik heb erg veel parken gezien, en volgens mij maakt de bevolkingssamenstelling van de buurten eromheen niets uit. Mensen komen voor verschillende doeleinden naar een park, dat is altijd zo, overal. Per dagdeel komen er andere gebruikers. Wat een lunchplek is voor de een, is spelen voor de ander, en rustig een krantje lezen voor een derde. Als je al die activiteiten laat overlappen, krijg je een goed park. Etniciteit is niet relevant." Aluvihare: "Dat is ook mijn ervaring. Allochtonen houden van bomen op dezelfde manier als autochtonen. Wel gaan Hollanders anders met water om, anders dan in welk ander land dan ook". Geuze: "In Amsterdam zie je overal die waterbadjes voor kindjes, dat is geweldig. Dat is typisch Amsterdams. Daar zitten alle kleuren door elkaar. Kinderen zijn een graadmeter van een goed park. Als zij het leuk

indicators of a good park: if they enjoy themselves the park is good."

Moet: "There are many immigrants in Amsterdam-Noord. It will be interesting to compare the Noorderpark with the Westerpark, for example. The Vondelpark is located in a more prosperous Amsterdam neighbourhood, so that comparison would be less meaningful. Could a park such as the Noorderpark stimulate an open society? Or would people appropriate this place instead, claim it for themselves?"

Geuze: "The make up of the population of Amsterdam-Noord is going to change. Building density in Amsterdam just keeps increasing. Look at the former Shell site: the development of the northern IJ bank has really taken off. For the people that are going to live there, the Noorderpark will be just around the corner."

Van Stiphout: "Will the community council be able to actively attract

vinden is het een goed park."

Moet: "In Amsterdam-Noord wonen veel allochtonen, het is interessant het Noorderpark te vergelijken met bijvoorbeeld het Westerpark. Het Vondelpark ligt in een rijke zone van Amsterdam, dus die vergelijking is minder sterk. Kan een park als dit de openheid van de samenleving stimuleren? Of zie je juist meer het toe-eigenen, het in bezit nemen van een plek?"

Geuze: "De bevolkingssamenstelling van Amsterdam-Noord zal veranderen. Amsterdam wordt steeds dichter bebouwd. De stedelijke ontwikkeling van de IJoevers is nu ook in Amsterdam-Noord écht begonnen, kijk maar naar het Shellterrein. Ook voor de mensen daar ligt het Noorderpark straks om de hoek."

Van Stiphout: "Kan de gemeente actief doelgroepen aantrekken? Ik denk van wel. Organiseer themadagen, zoals je een schouwburg programmeert. Dan weet je zeker dat je op

specific target groups? I do think so. Organize theme days, just like you plan the programme of a theatre. That way you are sure to draw specific groups on specific days." **Geuze:** "I am not in favour of that. Well-Intended programming is currently turning downtown Rotterdam into a hysterically convivial place but it's all temporary, and therefore a waste of funds. The organizers are thinking that the suburbanites will not come if nothing is happening. Whereas a good park will always draw a crowd, as long as it's clean, safe and convenient! A park should emanate 'welcome', and should invite people to using it: then you will not need a programme. A clear setting, trees and park benches: then it will work for everybody. Whether adults and children will come depends on the atmosphere, not the design. It is not forbidden to have 'exciting places' in the park, but they should not dominate."

een bepaalde dag een bepaalde groep trekt."
Geuze: "Ik ben daar geen voorstander van. In Rotterdam wordt op dit moment de binnenstad hysterisch gezellig gemaakt met allerlei goedbedoelde programmering. Maar dat is allemaal tijdelijk, en dus zonde van het geld. De initiatiefnemers denken dat als er niks gebeurt, de bewoners van de buitenwijken niet komen. Terwijl een goed park altijd mensen aantrekt als het schoon, veilig en overzichtelijk is! Een park moet 'welkom' uitstralen, en uitnodigen tot gebruik, dan heb je geen programma nodig. Een duidelijke omlijsting, bomen, bankjes, dan werkt het voor iedereen. Of er volwassenen en kinderen komen, wordt bepaald door de sfeer, niet door het ontwerp. 'Spannende plekken' zijn niet verboden, maar ze mogen nooit domineren."

Quality

Aluvihare: "It is vital that the park be realized by professionals, so the contracting should be paid attention to. Most road building contractors do not have green thumbs. Landscape specialists are more expensive, but those costs can be recovered. What counts is the basic quality and sustainability of the park. If heavy machinery is used oxygen may disappear from the soil." Moet: "Indeed, present-day standards are to be safe, clean and cheap, which negatively affects the final quality of the work." Van Stiphout: "These days, public green is kept clean, it is not kept well-tended. There is a vast difference between these. Garden craft has disappeared: what has happened to the gardener?" Aluvihare: "The gardener is still there, but his job specification says, for instance: 'weed three times a week'... and that is the problem! A good

Kwaliteit

Aluvihare: "Het is noodzakelijk dat het park vakkundig wordt aangelegd, dus de aanbesteding is belangrijk. De meeste aannemers uit de weg- en waterbouw hebben geen groene vingers. Vakspecialisten zijn duurder, maar dat verdien je terug. Het gaat in het begin om de basiskwaliteit en de duurzaamheid van het park. Door te zware machines kan de zuurstof uit de grond verdwijnen." Moet: "Inderdaad, de standaard is tegenwoordig veilig, schoon en goedkoop, en dat drukt de kwaliteit." Van Stiphout: "Groen wordt tegenwoordig schoongemaakt, niet onderhouden. Dat is echt iets anders. Het ambacht is weg, waar is de tuinman?" Aluvihare: "Die is er nog wel, maar in de functieomschrijving staat bijvoorbeeld 'drie maal per week schoffelen'...dáár komt het door. Een goede tuinman kiest de planten dusdanig, dat hij niet eens hoeft te schoffelen!"

gardener chooses his planting in such a way that weeding is not necessary at all!"

Van Stiphout: "The park should have a permanent caretaker: someone who adds zest to the park; someone who clearly loves the park, takes pride in it. The maintenance budget should be increased. It seems to me that the best thing to do is to make one person responsible or establish some sort of maintenance group, as soon as possible. A cultural change is needed here." Geuze: "In the case of the Noorderpark I feel completely confident. Amsterdam-Noord has hired an excellent process manager, Evert Verhagen, who is a true park specialist. He just finished the Westerpark job. A clear signal from the borough council. This park is going to be all-right, I feel very optimistic about that."

Van Stiphout: "Er moet een permanente park-verzorger komen. Iemand die elan geeft aan het park. Iemand die liefde en trots voor het park uitstraalt. Het beheerbudget moet opgeschroefd worden. Het beste lijkt me om nu al één persoon verantwoordelijk te maken, of een soort beheer-clubje in te stellen. Er is wat dat betreft een cultuuromslag nodig." Geuze: "In dit geval, bij het Noorderpark, heb ik er alle vertrouwen in. Amsterdam-Noord heeft er een prima proces-manager bijgehaald, Evert Verhagen, een echte groenspecialist. Hij heeft net de klus Westerpark geklaard. Een belangrijk signaal van het stads-deel. Het gaat zeker goed komen met dit park, ik ben heel optimistisch."

The park as a brand

Van Stiphout: "A park also has an educational function, children should get the opportunity to learn what a buttercup flower is. This park has the ability to rekindle interest in nature, particularly because it can be reached by bike." **Aluvihare:** "That is indeed possible, but does not necessarily have to be programmed here. First and foremost, this park offers space. Amsterdam-Noord enjoys the luxury of having abundant green. There are even cows in Noord." **Geuze:** "Parks should have flowers, of course: they are part of the basic outfit. However: green is green. Unfortunately, in the Netherlands we have as many words for green as the Eskimos have for snow. In the end this diversity of terms will not buy us anything. We should return to poetry. A park is a green place where you can experience the seasons and meet other people, in

Park als merk

Van Stiphout: "Een park heeft ook een educatie-ve functie, kinderen moeten kunnen leren wat een boterbloem is. Dit park kan de verminderde interesse voor de natuur weer opwekken. Juist een park speelt daar een nuttige rol in, omdat je er op de fiets kan komen." **Aluvihare:** "Dat is inderdaad mogelijk, maar hoeft niet per se hier geprogrammeerd te worden. Dit park biedt vooral ruimte. Amsterdam-Noord heeft de enorme luxe van veel groen. Je hebt zelfs koeien in Noord". **Geuze:** "Bloemen moeten natuurlijk in het park staan, dat hoort bij de basisuitrusting. Maar: groen is groen. In Nederland hebben we daar helaas net zoveel woorden voor als Eskimo's voor sneeuw (kijkgroen, scheg, park-groen, groene vinger, buffergroen, snippergroen, buurtgroen en zo verder), daar koop je uiteindelijk niets voor. We moeten terug naar de poëzie.

many different ways. That is what a park is about. Furthermore, a park should have a soul: it should have a specific scent; it should make you feel connected. Specific park furnishing is therefore important, as it will make visitors aware of where they are, and this will influence their behaviour. We are going to make a family of furnishings. Even the kerbstone will tell you that you are in the Noorderpark. In addition, we are planning several main entrances, classic-style, and we will make sure that cyclists will notice that they are entering the park. Particularly here in Amsterdam-Noord we are paying attention to the entrances, so as to set the park apart from all the other green. We have also introduced a hierarchy to the park, the square being its most important spot."

Een park is een groene plek waar je de seizoenen beleeft en waar je anderen kunt ontmoeten, op allerlei manieren. Dát is een park. Verder moet een park een ziel hebben: als je er bent moet het ergens naar ruiken, moet je je ergens mee verbonden kunnen voelen. Specifiek parkmeubilair is dus ook van belang, omdat bezoekers daardoor meteen merken waar ze zijn. En dat heeft effect op hun gedrag. Wij maken een familie van meubilair. Je kunt straks zelfs aan de stoepranden zien dat je in het Noorderpark bent. Verder maken we een paar hoofd-entrees, heel klassiek, en wij gaan zorgen dat de fietser merkt dat hij het park inrijdt. Juist hier in Noord hebben we daar aandacht voor, omdat we zo het park kunnen onderscheiden van al dat andere groen. In het park hebben we ook een hiërarchie aangebracht. Het plein moet de

Van Stiphout: "The square is going to feature on the postcard 'Greetings from the Noorderpark'. I think this would present a perfect business card for the borough."

Aluvihare: "It is important to show something of the park as soon as possible." Geuze: "The first investment is going to be the field for outdoor events, which will be presented to Amsterdam-Noord during a festive opening, within the coming year I hope. We'll invite the borough alderman, and just do it: declare the field officially opened! The public will take possession of the field. That will be the starting shot."

belangrijkste plek worden." Van Stiphout: "Dat plein staat straks op de ansichtkaart 'Groeten uit het Noorderpark'. Dat lijkt me een ideaal visitekaartje voor het stadsdeel." Aluvihare: "Het is belangrijk zo snel mogelijk iets te laten zien van het park." Geuze: "De eerste investering wordt de manifestatie-weide, en die wordt dan feestelijk aan de bewoners van Amsterdam-Noord gegeven, binnen een jaar hoop ik. Wethouder erbij, openen maar. Het publiek neemt de weide in bezit. Dat is het startschot."

Een heldere visie biedt houvast

Evert Verhagen, procesmanager Noorderpark, stadsdeel Amsterdam-Noord

A clear vision for footing

Evert Verhagen, process manager Noorderpark, borough of Amsterdam-Noord

What makes a good park? And what is needed to realize a good park? Undoubtedly, numerous designers and their clients have often asked themselves these questions.

Wat is een goed park? En wat is er nodig om dat te realiseren?
Vele ontwerpers en opdrachtgevers hebben zichzelf deze vragen ongetwijfeld talloze keren gesteld.

As a project manager I have been involved in the realization of several parks in Amsterdam during the past ten years. The largest project so far was the Cultuurpark Westergasfabriek, which was opened in September 2003. As I was involved in the entire process, from formulating the Project Requirements to paying the bill for the last tree planted, I have learned many lessons in this project. One of these is that **a lucid outline and a clear vision of the function and layout of a park are of vital importance.**

Als projectmanager ben ik de afgelopen tien jaar betrokken bij de realisatie van verschillende parken in Amsterdam. Het grootste project tot nu toe was het Cultuurpark Westergasfabriek, dat in september 2003 werd geopend. Doordat ik betrokken was bij het hele proces, van het formuleren van het Programma van Eisen tot en met het afrekenen van de laatst geplante boom, heb ik op die plek heel wat lessen geleerd. Een van die lessen is dat **een goed concept en een heldere visie op de functie en inrichting van een park van essentieel belang zijn.**

Creative approaches to increasing urban density

With the departure of heavy industry cities have once again become attractive as a place to live and visit. Since a number of years cities have been making substantial investments in urban public space. However, as urban space is limited, the need to increase building density has become overwhelming. Not surprisingly, dual use of space has become a common phenomenon. At the same time many cities are turning former industrial zones into city parks. Some parks may serve to hide large-scale infrastructure from view.

By now there are numerous European examples. Paris beats them all: Parc de Bercy, Parc André Citroën and Parc de la Vilette are all examples attesting to great ambition. Barcelona is notable for its Parc del Clot,

Creatieve verdichting in de stad

Na het vertrek van de industrie zijn steden weer aantrekkelijker geworden om in te wonen en te verblijven. Sinds een aantal jaren wordt er flink geïnvesteerd in stedelijke openbare ruimte. De beperkte ruimte binnen steden maakt echter dat de behoefte om te verdichten enorm is. Dubbel ruimtegebruik is dan ook geen onbekend verschijnsel. Tegelijkertijd zien we dat in veel steden op verlaten industrieterreinen parken worden aangelegd. Ook kunnen parken grootschalige infrastructuur aan het oog onttrekken.

Inmiddels zijn er vele Europese voorbeelden. Parijs spant de kroon: Parc de Bercy, Parc André Citroën en Parc de la Villette zijn alledrie voorbeelden die getuigen van een grote ambitie. Barcelona valt op met het Parc del Clot, Parc de Diagonal Mar en nog vele andere parken. Ook in de Duitse deelstaat Nordrhein-Westfalen is in de

Parc de Diagonal Mar and many other parks. The German state of Nordrhein-Westfalen established an ambitious programme in the nineteen nineties, which included the conversion of the northern Ruhr Area into the Emscherpark. This metropolitan region includes various spectacular parks, the most remarkable of which is the Landschaftspark Duisburg-Nord. In numerous other cities in former industrial regions (such as Naples, Seattle, London, Antwerp, Eindhoven) similar developments are taking place.

The modern task of realizing a park is almost always connected with resolving large-scale spatial and infrastructure problems. Without exception the realization of a successful park is therefore a complicated process. In this process the primary objective, i.e. to create a high quality public green space where people can meet one another in

jaren negentig van de vorige eeuw een ambitieus programma tot stand gebracht, waarbij het noordelijke gedeelte van het Ruhrgebied is omgedoopt tot Emscherpark. Het gebied kent diverse spectaculaire parken, waarvan het meest bijzondere wel Landschaftspark Duisburg-Nord is. In tal van andere steden in de voorheen geïndustrialiseerde wereld (Napels, Seattle, Londen, Antwerpen, Eindhoven) zien we vergelijkbare ontwikkelingen.

De moderne opgave om een park te realiseren is vrijwel altijd gekoppeld aan het oplossen van grootschalige ruimtelijke en infrastructurele problemen. Het proces om tot een succesvol park te komen is daarom zonder uitzondering ingewikkeld. Het primaire doel, namelijk een kwalitatief hoogwaardige groene openbare ruimte die op veel verschillende manieren ontmoetingen tussen mensen mogelijk maakt, komt daarbij regelmatig in de verdrukking.

multiple ways, is frequently put on the back burner: quality and use of the park are likely to become side issues. Once the infrastructure process has been completed and spatial structures have been adapted, it frequently happens that only few means are left to realize an attractive park.

Kwaliteit en gebruik van het park dreigen bijzaak te worden. Wanneer het infrastructurele proces is doorlopen en de ruimtelijke structuren zijn aangepast, blijkt regelmatig dat er nog maar weinig middelen voorhanden zijn om er een aantrekkelijk park van te maken.

A vision for footing

In order to succeed in realizing an attractive park despite the complexity of the task, it is of vital importance that this process is based on a vision that strongly appeals to one's imagination; a vision that guides the process. First and foremost, **this vision should be about people and appeal to large groups of them.** This will ensure public support for the project. Second, it should be based on a captivating park design concept. This will be vital for the communication with the people living in the neighbourhood who are often inconvenienced for several years, and for the communication with potential sponsors, as fundraising is often necessary throughout the entire process in order to complete the project. It enables the contracting authority to show the sponsors what their money is spent on.

Visie als houvast

Om ondanks de complexiteit van de opgave toch een aantrekkelijk park te kunnen ontwikkelen, is het van het grootste belang dat er een sterk tot de verbeelding sprekende visie aan het proces ten grondslag ligt; een visie die richtinggevend is voor het proces. **Ten eerste moet het om mensen gaan en grote groepen mensen aanspreken.** Daardoor ontstaat draagvlak voor het project. Verder moet de visie voortvloeien uit een aansprekend concept voor het park-ontwerp. Dit is van belang voor de communicatie met de omwonenden die vaak jarenlang in de rommel zitten, en voor de communicatie met potentiële financiers, omdat de financiële middelen om de plannen volledig uit te kunnen voeren vaak nog gedurende het proces geworven moeten worden. Een opdrachtgever moet kunnen laten zien waar het geld naartoe gaat.

The complex process of planning and realizing a park takes place along many, often divergent, lines. **A vision can ensure that the project does not derail** when there are differences of opinion, conflicting interests or setbacks.

How does a vision come about? The new, scintillating Cultuurpark Westergasfabriek is located in what used to be an isolated industrial park on the outskirts of the city. For sixteen buildings listed as national industrial monuments a new use had to be found. The concept of the Westergasfabriek project arose from the original function of the industrial park. The Dutch word 'gas' is derived from the Greek 'chaos'. 'Turning chaos into light' was the purpose of the Westergasfabriek (gas plant) for nearly a hundred years. A symbol of activity, renewal and change, 'light' played an important role in the vision for the

Het ingewikkelde proces van planvorming en realisatie van een park voltrekt zich langs veel en vaak sterk uiteenlopende lijnen. Bij meningsverschillen, belangentegenstellingen of tegenslagen kan een visie er voor zorgen dat het project op de rails blijft.

Hoe komt een visie tot stand? De plek waar nu het bruisende Cultuurpark Westergasfabriek is, was voorheen een geïsoleerd fabrieksterrein aan de rand van de stad. Voor zestien gebouwen die op de Rijksmonumentenlijst staan moest een nieuwe bestemming worden gevonden. Het concept voor het project Westergasfabriek is voortgekomen uit de oorspronkelijke functie van het terrein. Het woord 'gas' is afgeleid van het Griekse woord 'chaos'. 'Uit chaos licht maken', dat is waar de gasfabriek bijna honderd jaar voor werd gebruikt. Licht staat voor levendigheid, vernieuwing, verandering, en speelde in de visie voor de Westergasfabriek een belangrijke rol.

Westergasfabriek. For good reason, the landscape architect entitled her design 'changement'.

How about the vision for the Noorderpark, the amalgamation of the present Florapark and Volewijkspark? The borough of Amsterdam-Noord is a patchwork of various neighbourhoods. It is separated from the rest of Amsterdam by the water of the IJ. Moreover, the district is bisected by the Noordhollandsch Kanaal, dug in 1824 on the authority of the Dutch King Willem I. In the nineteen sixties this dividing line was reinforced by the construction of the Nieuwe Leeuwarderweg, the motorway connecting the Amsterdam city centre with the northern part of the province of North Holland. Today, the construction of the North/South metro line, which will be running from Amsterdam-Noord via the Dam to Schiphol Airport, creates all kinds of new possibilities,

De landschapsarchitecte noemde haar plan niet voor niets 'changement'.

Hoe zit dit met de visie voor het Noorderpark, de samenvoeging van het huidige Florapark en Volewijkspark? Het stadsdeel Amsterdam-Noord is een lappendeken van verschillende buurten. Het wordt van de rest van Amsterdam gescheiden door het IJ. Het stadsdeel wordt bovendien door-sneden door het Noordhollandsch Kanaal, dat in 1824 werd aangelegd op gezag van Koning Willem I. In de jaren zestig van de vorige eeuw werd de tweedeling versterkt door de aanleg van de Nieuwe Leeuwarderweg, de autoweg die het centrum van Amsterdam via de IJtunnel met het noordelijk deel van Noord-Holland verbindt. Met de aanleg van de Noord/Zuidlijn, de nieuwe metrolijn die van Amsterdam-Noord via de Dam naar Schiphol loopt, worden er allerlei nieuwe mogelijkheden gecreëerd, bijvoorbeeld om

for example to **lower and cover the motorway**. This in turn offers the unique opportunity to unite the two present parks into one new Noorderpark.

The vision for the Noorderpark stems from the concept chosen by its landscape architect: 'meeting'. The Noorderpark is located in the heart of the borough and is a junction between major bicycle and pedestrian routes. **The most significant feature of the park design is a circuit that not only connects the three separate parts of the park but also provides the people of Amsterdam-Noord with an important meeting place.**

infrastructuur te verlagen en te overdekken. Hierdoor ontstaat een unieke kans om van de twee parken één Noorderpark te maken.

De visie voor het Noorderpark vloeit voort uit het concept waar de landschapsarchitect voor heeft gekozen, namelijk 'ontmoeten'. Het Noorderpark ligt in het hart van het stadsdeel en is een kruispunt van belangrijke fiets- en voetgangersroutes. Het belangrijkste onderdeel van het parkontwerp is een doorlopend circuit: **een ring die niet alleen de drie los van elkaar liggende parkonderdelen verbindt, maar die ook de bewoners van Amsterdam-Noord een belangrijke ontmoetingsplek geeft.**

The relationship between contracting authority and landscape architect

The contracting authority is responsible for guiding the process and solving any problems that may occur. The borough council defines the framework and has the final responsibility, whereas the project manager is responsible for the day-to-day management and also serves as a contact person.

Of vital importance for a successful project is an unambiguous and concise formulation of the Project Requirements. In contrast to popular belief, the Project Requirements is not a simple list of everything that a park may or should offer. **A model park is attractive during all the seasons, seven days a week, twenty-four hours a day.** This implies that a park should have various types of spaces:

Relatie opdrachtgever en landschapsarchitect

De opdrachtgever heeft de taak om richting te geven aan het proces en moet alle problemen oplossen die zich voordoen. Het stadsdeelbestuur zet de grote lijnen uit en heeft de eindverant-woordelijkheid, de projectmanager heeft de dagelijkse leiding en is aanspreekpunt. Essentieel voor een goed project is een helder en bondig Programma van Eisen (PvE). In tegen-stelling tot wat veel mensen denken, is een PvE geen opsomming van alles wat in het park mag en moet gebeuren. **Een ideaal park is alle seizoenen van het jaar, zeven dagen per week, vierentwintig uur per dag aantrekkelijk.** Dit impliceert dat een park verschillende soorten ruimtes heeft: ruimtes die mooi zijn, maar vooral ook ruimtes die flexibel zijn in hun gebruiks-

spaces that are beautiful, but above all spaces that offer flexible user possibilities. The art of a good Project Requirements, then, is to set priorities within the range of large and small wishes that users may have. Therefore the Project Requirements is an extremely important document, written in close consultation with representatives of all intended park users. The landscape architect should take into account the various interests described in the Project Requirements. The vision for the park should clearly emerge from the park design. The most important requirements for realizing an attractive park may well be a good relationship between the contracting authority and the landscape architect, as well as their agreement on the basic principles.

mogelijkheden. Het is de kunst om in een PvE de juiste prioriteiten te stellen binnen het scala van grote en kleine wensen die er leven. Het PvE is daarmee een uiterst belangrijk document, dat in intensief overleg met vertegenwoordigers van de toekomstige gebruikers moet worden opgesteld. Het is de taak van de landschaps-architect om in het ontwerp voor het park rekening te houden met de verschillende belangen, zoals weergegeven in het PvE. De visie moet helder en duidelijk in het parkontwerp naar voren komen. Om een aantrekkelijk park te realiseren zijn een goede relatie tussen opdrachtgever en landschapsarchitect en over-eenstemming over de uitgangspunten misschien wel de belangrijkste vereisten.

A park for everyone

Most importantly, a city park should be a place where people can meet one another. In addition, it should be a place that stimulates the senses. Contact with nature is after all an essential need of many people. **Unexpected vistas, the sound of running water or grit softly crunching under our feet: they may all contribute.**

A park is not a private garden. Many public spaces are being claimed by one specific group, but a park is meant for everyone. This does not mean that a park should always be right for everyone simultaneously. The key is to create a rich diversity of green, multifunctional spaces. For example, the grass in the park should allow for soccer playing, an almost daily activity in parks such as the Vondelpark and the Museum

Een park voor iedereen

Een stedelijk park moet in de eerste plaats een plek zijn waar mensen elkaar kunnen ontmoeten. Daarnaast moet het park een plek zijn waar de zintuigen worden geprikkeld. Contact met de natuur is immers een basale levensbehoefte voor velen. **Verrassende gezichtspunten, maar ook het geluid van stromend water of het knisperen van het grit onder de voeten kunnen daaraan bijdragen.**

Een park is geen privé-tuin. Veel openbare ruimte wordt door één specifieke groep geclaimd, maar een park is bedoeld voor iedereen. Dat wil niet zeggen dat het altijd voor iedereen tegelijkertijd geschikt moet zijn. Het gaat erom een grote diversiteit aan groene ruimtes te creëren, die multifunctioneel zijn. Zo moet op het gras in een park gevoetbald kunnen worden, zoals dat vrijwel dagelijks gebeurt op de grasvelden in het

Square. However, as the lawn in the Museum Square was not designed for soccer, it rapidly turned into a mud bath. An obvious solution is to lay at least one of the lawns in the park with high quality, soccer-proof turf. Furthermore, a park should be suitable for dog owners, often the most loyal visitors of the park. However, dogs do not need the whole park as dog toilet or leash-free zone. Finally, there are the cyclists who use the park only in the sense that they cross it on their way elsewhere. They do not need the whole park to always be able to take the shortest route possible.

A park is intended for all sections of the population. It should accommodate families to have a picnic, children to celebrate their birthday parties, senior citizens to sit down on a bench to catch their breath and enjoy the flowers, and lovers to find some privacy.

Vondelpark en op het Museumplein. Maar het gras op het Museumplein was daar niet op berekend en veranderde al gauw in een modderpoel. Een voor de hand liggende oplossing is om minstens één kwalitatief hoogwaardige grasmat aan te leggen die tegen een stootje kan. Evenzo moet het park geschikt zijn voor hondenbezitters, die vaak de meest trouwe bezoekers van het park zijn. Maar honden hebben niet het hele park als toilet of losloopzone nodig. Daarnaast zijn er de fietsers die het park gebruiken als onderdeel van hun route. Zij hebben ook niet het hele park nodig om altijd en overal de kortste weg te kunnen nemen.

Een park is bedoeld voor alle bevolkingsgroepen. Families moeten er kunnen picknicken, kinderen moeten er hun verjaardagspartijtje kunnen vieren, bejaarden moeten er een zitplaats/bankje kunnen vinden om tijdens een wandeling op adem te komen en van de bloemen te genieten,

As everyone is able to use the park in his or her own way, social cohesion is brought about.

verliefden moeten er een plekje kunnen vinden om elkaar diep in de ogen te kijken. **Doordat iedereen op zijn of haar eigen manier gebruik maakt van het park komt een sociale cohesie tot stand.**

Striving for social cohesion

An obvious question is who is responsible for this social cohesion. The 'spiritual owners' of the park are its regular users, that is, the people living in the adjacent neighbourhoods. Their user habits will determine how the park develops over time. Users should have the feeling that the park is theirs, without claiming it. This is only possible when they are truly proud of their park. To achieve this, a carefully thought-out park design that is implemented properly and allows for adequate maintenance is essential. Many designers tend to overlook this fact sometimes. In their eyes, the user may become a 'perfect' user, or - worse still – an 'average' user. A good design should anticipate the most common conflicts, so these may be avoided. The actual owner of the park, usually the local authority, should be

Streven naar sociale cohesie

Een voor de hand liggende vraag luidt wie voor die sociale cohesie verantwoordelijk is. De 'mentale' eigenaren van het park zijn natuurlijk de vaste gebruikers ofwel de bewoners van de aangrenzende buurten. Door de wijze waarop ze het park gebruiken, bepalen zij hoe het park zich ontwikkelt. De gebruikers moeten het gevoel hebben dat het park van hen is, zonder het te claimen. Dat kan alleen als ze echt trots op het park zijn. Een goed doordacht ontwerp, dat goed is uitgevoerd en vervolgens ook goed kan worden onderhouden, is daarvoor onmisbaar. Dit aspect wordt door veel ontwerpers wel eens vergeten. De gebruiker is in hun ogen een 'ideale' gebruiker geworden, of - erger nog - een 'gemiddelde' gebruiker. Een goed ontwerp anticipeert op de meest voorkomende conflicten, zodat die kunnen worden vermeden.

able to properly maintain the park. How many public spaces, once beautifully fitted out, haven't been ruined, after several years, by intensive use? Expensive flagstone suffers from frost damage or big cars driving on it, ponds become so dirty that no child will play in it, grass stops growing as it is ruined by soccer playing, fountains quit working, lampposts fall over or break down, and tree roots crumble the pavement. Recognizing these problems the borough council reserved a target sum for maintenance and management of the Cultuurpark Westergasfabriek, prior to the park design process. The landscape architect was informed of this sum, and was asked to demonstrate that her design would allow proper park maintenance without exceeding the maintenance budget. A similar approach has been taken for the Noorderpark.

De feitelijke eigenaar van het park, meestal de lokale overheid, dient het park goed te (kunnen) onderhouden. Hoeveel prachtig ingerichte openbare ruimte gaat niet na enkele jaren aan intensief gebruik ten onder? Kostbaar natuursteen vriest stuk of breekt onder de banden van te zware auto's, vijvers worden zó smerig dat geen kind er meer in wil spelen, gras wil niet meer groeien omdat het is stukgevoetbald, fonteinen werken niet langer dan een jaar, lantaarnpalen zijn omgevallen of stuk en asfaltpaden verbrokkelen door de boomwortels die er doorheen groeien. Voor het Cultuurpark Westergasfabriek is voorafgaand aan het ontwerpproces een streefbedrag op de begroting van het stadsdeel gereserveerd voor onderhoud en beheer. Dit bedrag werd aan de landschapsarchitect meegegeven, die vervolgens moest aantonen dat het ontwerp het mogelijk maakt om het park voor dit bedrag goed te onderhouden. Ook bij het Noorderpark is voor een dergelijke aanpak gekozen.

While demand for green space is growing, public space is increasingly privatised. Parks are in danger of becoming a concatenation of privatised public spaces such as golf courses, tennis courts, swimming pools and marinas. Sometimes this even results in 'a green version of gated communities' with each part of the park being closed off by its own gate. In those cases the discussion on the most desirable park layout will reflect the battleground of modern times, where individualization and worries about personal safety are predominating. We are presented with the familiar choice: do we prefer a public space open to everyone, for meeting, exchange and social cohesion? Or would we rather move towards a city consisting of separate, gated enclaves, where we feel safe only when a guard is posting at the gates?

Met de toenemende behoefte aan groene ruimte, verdwijnt op veel plaatsen het openbare aspect en krijgt de geprivatiseerde openbare ruimte de overhand. Parken dreigen te verworden tot een aaneenschakeling van geprivatiseerde openbare ruimtes als golfbanen, tennisvelden, zwembaden en jachthavens. Soms gaat dit zo ver dat er een groene variant van de gated community ontstaat, waarbij de verschillende parkonderdelen elk met hun eigen hek omsloten zijn. De discussie over de juiste inrichting van een park verbeeldt dan het slagveld van de moderne tijd, waarin individualisering en gevoelens van onveiligheid de boventoon voeren. Het stelt ons voor de bekende keuze: willen we een ruimte die openstaat voor iedereen, voor ontmoeting, uitwisseling en sociale cohesie? Of willen we de kant uit van een stad die bestaat uit separate, ommuurde enclaves, waar we ons alleen nog maar veilig voelen als er bij de toegangspoort een bewaker staat?

Public space in Amsterdam

Realizing functional, attractive public space is a difficult task, as a number of recent examples in Amsterdam have shown. When Philips Electronics moved from Eindhoven to Amsterdam because the latter would be 'the place where the action is' and offer more prestige and character, they chose to locate their offices at the Omval, near the Amstel Station on the river Amstel. Seldom has a location with so much potential been turned into a more lacklustre project. Except for an occasional cyclist flashing by or train traveller rushing past, there is no one out on the street. The place has no public function whatsoever and nothing is going on.

A few miles to the south is the Amsterdam ArenA. As 'an imposing metropolitan boulevard', the ArenA Boulevard was meant to

Openbare ruimte in Amsterdam

Dat het realiseren van een functionele en aantrekkelijke openbare ruimte een moeilijke opgave is, blijkt wel uit een aantal recente voorbeelden in Amsterdam. Zo vertrok Philips uit Eindhoven, omdat in Amsterdam meer te beleven zou zijn en deze stad meer uitstraling en cachet zou opleveren. Zij kozen voor de Omval, een bij het water gelegen plek nabij het Amstelstation. Zelden is er een saaier project gerealiseerd op een locatie met zoveel mogelijkheden. Op straatniveau is er buiten de voorbijtrappende fietser en de haastige treinreiziger niemand te bekennen. Publieksfuncties ontbreken en er valt niets te beleven.

Enkele kilometers naar het zuiden vinden we de Amsterdam ArenA. De ArenA Boulevard had als 'boulevard met grootstedelijke allure' het succesvolle zakencentrum van Amsterdam-Zuidoost aan

the successful business centre of Amsterdam-Zuidoost with the impoverished district of De Bijlmermeer. However, for fear of the soccer fans that visit the ArenA at least once every two weeks, everything on or near the boulevard is of almost military durability. Not a single building along the boulevard relates to its environment and the black pavement is dotted with thousands of pieces of chewing gum.

The Museum Square has the potential to be the cultural heart of the Netherlands. Since the last few years it has been the location of the Uitmarkt (a fair at which all of the cultural attractions for the coming year are advertised) and the finishing point for every major protest march. In addition, the Square houses the four perhaps most important cultural institutions of the country: the Concertgebouw, Rijksmuseum,

de verpauperende Bijlmermeer moeten koppelen. Maar uit angst voor voetbalsupporters, die minstens één keer in de twee weken de ArenA bezoeken, is alles wat zich op of aan de boulevard bevindt van een haast militaire degelijkheid. Geen enkel gebouw aan deze boulevard gaat een relatie aan met de omgeving en het zwarte plaveisel is gespikkeld door duizenden kauwgom-resten.

Het Museumplein zou het culturele hart van Nederland kunnen zijn. Sinds een paar jaar is het de plek waar de Uitmarkt wordt gehouden en elke grote demonstratie eindigt er. Aan het plein bevinden zich bovendien de vier misschien wel belangrijkste culturele instellingen van het land: het Concertgebouw, het Rijksmuseum, het Stedelijk Museum en het Van Gogh Museum. Veel beter nog dan op de Dam zouden hier duizenden

the Stedelijk Museum and the Van Gogh Museum.

More so than the Dam Square, the Museum Square is a place where thousands of tourists could mingle with Amsterdam citizens. A unique opportunity, one would say. However, in spite of all efforts the Square has not moved beyond being the rear side of its buildings, many of which are turned with their backs towards the square.

toeristen zich met Amsterdammers kunnen mengen. Een unieke kans, zou je zeggen. Toch is het ondanks alle inspanningen nog niet gelukt om van het plein meer dan een achterkant te maken, omdat de gebouwen met hun rug naar het plein staan.

Back to the Noorderpark

The Noorderpark has every potential to become a successful park. Its design is lucid and clear. The heart of the park is formed by a large open space with clusters of trees. This space covers part of the former Florapark and Volewijkspark. **Surrounding the open space the circuit or 'loop' connects the various parts of the park; it symbolizes the reunion of the fragmented parts of Amsterdam-Noord.** From all sides of the park, visitors can enter the circuit, walk it, and meet one another there. A vision based on 'meeting' invites everyone with an opinion to participate in the design process and project. There are risks involved in this. If so much talking and research is needed, if so many demands and wishes must be agreed to, how much then will be left of the original concept? Clear decision-

Terug naar het Noorderpark

Het Noorderpark heeft alles in zich om een succesvol park te worden. Het ontwerp is helder en duidelijk. Het hart van het park wordt gevormd door een grote open ruimte met groepjes bomen. Deze ruimte strekt zich uit over de verschillende parkdelen. **Het circuit is de 'ring' die alle losse onderdelen van het park, en daarmee symbolisch alle losse onderdelen van Amsterdam-Noord, met elkaar verbindt.**

Gebruikers kunnen vanuit alle richtingen op het circuit komen, zich erover verplaatsen en elkaar tegenkomen. Een visie die op 'ontmoeten' is gebaseerd, nodigt iedereen uit om kritisch aan het proces en daarmee aan het project deel te nemen. Daarin schuilt ook meteen het gevaar. Als er zoveel gepraat en onderzocht moet worden, als er zoveel eisen en wensen moeten worden ingewilligd, wat blijft er dan over van het

making by the local authority responsible, i.e. the borough council, will help to avoid many of these problems.

The Project Team Noorderpark deals with all questions and problems arising, and contributes potential solutions. Whenever possible, they consult with all parties concerned. Inhabitants of the borough of Amsterdam-Noord are closely involved in the project. Developments in the design process are regularly discussed in a feedback group. Specific target groups are contacted separately, trying to meet their wishes whenever possible, if need be through the dual use (or even threefold use) of park space. During these discussions it is essential, however, that the project team and the landscape architect firmly adhere to the basic ideas of the design. This way they can ensure that the design – and therefore the future park – remains a meaningful

oorspronkelijke concept? Een heldere besluitvorming door het verantwoordelijke lokale bestuur, de stadsdeelraad, kan veel ellende voorkomen. Het Projectteam Noorderpark behandelt alle vragen en problemen en draagt potentiële oplossingen aan. Daarbij overleggen zij zoveel mogelijk met alle betrokkenen. Bewoners van stadsdeel Amsterdam-Noord zijn nauw bij het project betrokken. In een klankbordgroep worden regelmatig alle ontwikkelingen in het ontwerp

besproken. Specifieke doelgroepen worden apart benaderd, waarbij waar mogelijk aan hun wensen tegemoet wordt gekomen, desnoods door (drie-)dubbel ruimtegebruik. Het is daarbij wel noodzakelijk dat het projectteam en de landschapsarchitect tijdens die gesprekken consequent achter de hoofdlijnen van het ontwerp blijven staan. Zo kunnen ze ervoor zorgen dat het ontwerp - en daarmee het toekomstige park - één geheel blijft en geen lappendeken van

whole and does not become a hotchpotch of personal wishes and special interests.

The quality of the process will determine the quality of the final product. Constructive collaboration is therefore essential and only possible when everyone involved is firmly committed to the project. The project should not become a political plaything. It should be based as broadly as possible. It is a misconception that such an approach would only yield compromises. Friction polishes, in other words: a good landscape architect with a strong design is able to meet all complex and sometimes conflicting demands presented. And a competent project team is able to find new solutions time and again without affecting the essence of the design. The park offers ample possibility for flexible development and growth.

wensen en belangen wordt.

De kwaliteit van het proces is bepalend voor de kwaliteit van het eindproduct. Daarom is het essentieel dat er constructief wordt samenge-werkt. Dat kan alleen met een hoge mate van betrokkenheid van iedereen. Het project mag geen politieke speelbal worden. Er moet een zo groot mogelijk draagvlak worden gecreëerd. Het is een misvatting dat dit alleen maar compromis-sen zou opleveren. Wrijving geeft glans, ofwel: een goede landschapsarchitect is in staat om in een sterk ontwerp aan de complexe en soms tegenstrijdige wensen tegemoet te komen. En een goed projectteam is in staat om telkens weer met nieuwe oplossingen te komen, zonder dat dit ten koste gaat van de essentie van het ontwerp. Het park biedt genoeg mogelijkheden om te groeien.

At least as important as the destination is the journey to get there. The future has started today. Therefore, the products we deliver now should emanate the high quality of the final product we wish to realize in the coming years. Amsterdam-Noord will have a park that matches its ambitions: a Noorderpark that will be the pride of all Amsterdam.

De reis naar een bestemming is minstens zo belangrijk als het aankomen. De toekomst is vandaag begonnen. Daarom moeten de producten die we nu leveren de kwaliteit uitstralen van het eindproduct dat we willen realiseren. Amsterdam-Noord krijgt een park dat bij zijn ambities past: een Noorderpark waar heel Amsterdam trots op kan zijn.

Een nieuw park met Europees geld

A new park through European funding

Amsterdam is characterized by a high population density, high-quality infrastructure and strong economy. Nevertheless, the city also pays attention to its public green space. For example, the borough authorities of Amsterdam-Noord devote much attention to improving the green space of the

Amsterdam kenmerkt zich door een hoge bevolkingsdichtheid, goede infrastructuur en krachtige economie. Toch is er ook aandacht voor ruimte en groen, zoals in Amsterdam-Noord. Hier ontstaan nieuwe woongebieden waarbij het stadsdeel ruimschoots oog heeft voor versterking van het groen. Het Noorderpark wordt daar een cruciale schakel in: Het kloppend hart van Amsterdam-Noord.

district as new residential neighbourhoods are being developed here. Within this green space the Noorderpark will become a vital link: it will become the very heart of Amsterdam-Noord.

The development of urban landscapes is by no means unique to the Netherlands. Metropolitan regions in other countries of North West Europe are also working on new development strategies for urban landscapes. As it makes sense to join efforts, the European SAUL project (Sustainable and Accessible Urban Landscapes) was launched to jointly develop and test practical solutions. Being part of this project, the Noorderpark will receive approximately 1.2 million euro. The SAUL project started at the beginning of 2003 and will run until August 2006. In June 2006 the closing conference will be held in Amsterdam.

De ontwikkeling van stadslandschappen is niet uniek voor Nederland. Ook andere landen in Noordwest Europa kennen grootstedelijke regio's waar gewerkt wordt aan nieuwe ontwikkelings-strategieën op de grens van stad en land. Wat is logischer dan gezamenlijk praktische oplossingen te bedenken en te testen. Dat gebeurt in het Europese SAUL-project (Sustainable and Accessible Urban Landscapes). Het Noorderpark is onderdeel van dit project en krijgt zo'n 1,2 miljoen Euro.

Het SAUL-project is begin 2003 gestart en loopt tot augustus 2006. In juni 2006 vindt de slot-conferentie plaats in Amsterdam.

What is SAUL?

SAUL is a collaborative project on urban landscapes, in which Amsterdam, London, the Rhein-Main region, the Rhein-Ruhr region, Saarland and Luxembourg participate. The project mainly aims at stimulating development planning, public participation, and learning from experiences gained in European urban landscapes. SAUL focuses on making urban environments more attractive and accessible to city-dwellers, in balance with the sustainable development of urban landscapes in and around cities. The partnership project of the Noorderpark and the London Burgess Park aims to engage young people in their local environments; the Noorderpark will still benefit from these activities ten years from now.

Wat is SAUL?

SAUL is een samenwerkingsverband tussen Amsterdam, Londen, het Rhein-Main gebied, het Rhein-Ruhrgebied, Saarland en groot-Luxemburg, op het gebied van stadslandschappen. Nadruk ligt op het stimuleren van ontwikkelingsplanologie, burgerbetrokkenheid en het leren van ervaringen uit vergelijkbare stadslandschappen. SAUL richt zich op de vraag hoe de woon- en leefomgeving van de stedeling aantrekkelijker en toegankelijker te maken is, maar wel in evenwichtige relatie met een duurzame ontwikkeling van de stadslandschappen in en rond steden. De samenwerking tussen Noorderpark en Burgess Park in Londen richt zich op het betrekken van jongeren bij hun leefomgeving, iets waar het Noorderpark over 10 jaar nog de vruchten van zal plukken.

Biography authors

Aafke Post (1962) is a landscape architect and head of the Department of Design of the borough of Amsterdam-Noord. Among others, she works on the coherence between spatial planning projects and their fitting into the characteristic landscape structure of Amsterdam-Noord. She was one of the initiators of the plan to merge the Florapark and Volewijkspark into one Noorderpark.

Biografie auteurs

Aafke Post (1962) is landschapsarchitect en hoofd van de afdeling Ontwerp bij stadsdeel Amsterdam-Noord. Zij houdt zich onder meer bezig met de samenhang tussen ruimtelijke projecten en de inpassing daarvan in de karakteristieke structuren van Amsterdam-Noord. Zij is een van de initiatiefnemers om de buurtparken Florapark en Volewijkspark samen te voegen tot het Noorderpark.

Adriaan Geuze (1960) is a landscape architect. In 1987 he founded West 8 Urban Design & Landscape Architecture Ltd, which earned him international recognition. In 1990 he set up the S.L.A. Foundation (Surrealistic Landscape Architecture) to stimulate interest in his discipline. With West 8 he developed a method combining modern culture, urban identity, architecture, public space, context and engineering into one design. West 8 has produced the design for the Noorderpark. Adriaan Geuze gives seminars and teaches design at universities all over the world.

Allard Jolles (1958) is an architectural historian. He is coordinator for professional development with the Physical Planning Department, of the city of Amsterdam. In addition, he is a contributor to the website www.archined.nl, the specialist newspaper Cobouw and the professional journal S&RO (Stedenbouw & Ruimtelijke Ordening). He has published books on the Eastern Harbour Area, IJburg, Amsterdam-Zuidoost, and structure planning in Amsterdam.

Adriaan Geuze (1960) is landschapsarchitect. In 1987 richtte hij West 8 Urban Design & Landscape Architecture B.V. op, waarmee hij internationale bekendheid verwierf. Hij richtte in 1990 de stichting S.L.A. (Surrealistic Landscape Architecture) op, om meer aandacht te vragen voor zijn vakgebied. Met West 8 ontwikkelde hij een techniek waar-bij hedendaagse cultuur, stedelijke identiteit, architectuur, openbare ruimte, context en techniek samenkomen in één ontwerp. West 8 maakte het ontwerp voor het Noorderpark. Adriaan Geuze geeft lezingen en ontwerponderwijs aan universiteiten over de gehele wereld.

Allard Jolles (1958) is architectuurhistoricus en werkzaam als Coördinator Vakontwikkeling bij de Dienst Ruimtelijke Ordening van de Gemeente Amsterdam. Tevens schrijft hij voor de website www.archined.nl, het vakdagblad Cobouw en tijdschrift S&RO (Stedebouw & Ruimtelijke Ordening). Hij maakte eerder boeken over het Oostelijk Havengebied, IJburg, Amsterdam-Zuidoost en structuurplanning in Amsterdam.

Evert Verhagen (1955) is a physical geographer. In the 1980's he worked in the Amsterdam borough of De Bijlmermeer, later in urban renewal. In the 1990's he was project leader of the Westergasfabriek project. Which has recently won the 'Golden Pyramid', a prestigious national architectural award. At present he is working as a project manager of the Noorderpark project in Amsterdam-Noord and the Hofpleinlijn project in Rotterdam-Noord. He has published several books.

John Janssen van Galen (1940) is a journalist. He worked for the Algemeen Handelsblad, VPRO Radio and the Haagse Post. Since 1990 he has been working as a freelance journalist for, among others, the NRC Handelsblad, Het Parool and NOS Radio. He has also written extensively about his walking trips. In the present book he describes a walk through the future Noorderpark.

Evert Verhagen (1955) is fysisch geograaf. In de jaren 1980 werkte hij in de Bijlmermeer, daarna in de stadsvernieuwing. In de jaren 1990 was hij projectleider van het projectbureau Westergasfabriek. Dat de 'Gouden Piramide 2004' heeft gewonnen, een landelijke prestigieuze architectuurprijs. Momenteel is hij werkzaam als projectmanager van het Noorderpark. Daarnaast is hij projectmanager van het projectbureau Hofpleinlijn in Rotterdam-Noord. Hij heeft meerdere boeken op zijn naam staan.

John Janssen van Galen (1940) is journalist. Hij werkte voor het Algemeen Handelsblad, VPRO Radio en de Haagse Post. Sinds 1990 werkt hij als freelance journalist voor o.a. het NRC Handelsblad, Het Parool en NOS Radio. Ook schrijft hij veel over de wandelingen die hij maakt. Voor dit boek beschreef hij een wandeling door het toekomstige Noorderpark.

Biography participants discussion meeting

Dennis Moet (1961) is an ecologist, photographer and 'creative director of design processes'. After he gained considerable experience working for various authorities and consultancy firms he founded the cultural company 'Park' in 2000. He specializes in 'visual material analysis', 'creative directing of design processes', and photography. He collaborates with professionals from a range of disciplines.

Biografie deelnemers rondetafelgesprek

Dennis Moet (1961) is ecoloog, fotograaf en creatie-regisseur. Na ruime kennis te hebben opgedaan bij diverse overheden en adviesbureaus richtte hij in 2000 de culturele onderneming Park op. Hij doet beeldend onderzoek, creatieregie en werkt als fotograaf, waarbij hij samenwerkt met professionals uit verschillende disciplines.

Maike van Stiphout (1964) is a landscape architect. Together with Bruno Doedens she founded the landscape architect studio DS, which acquired international fame winning the design competition for two parks in the Potsdamer Platz in Berlin. She serves as a judge of international design competitions, serves on the Board of the SKOR (Netherlands Foundation Art and Public Space) and is a committee member of the Fonds BKVB (Netherlands Foundation for Visual Arts, Design and Architecture).

Ruwan Aluvihare (1956) is a landscape architect and a chief designer at the Physical Planning Department, of the city of Amsterdam. For 8 years he worked on several projects in Amsterdam-Noord, among which the Vliegenbos. At present he is designing the public space of the Amsterdam Zuidas, and is working as an urban planner and public space designer in the Waterlandplein project in Amsterdam-Noord.

Maike van Stiphout (1964) is landschapsarchitect. Zij richtte samen met Bruno Doedens het landschaps-architectenbureau DS op, dat internationale bekendheid kreeg toen het de ontwerpprijsvraag voor twee parken aan de Potsdamer Platz in Berlijn won. Zij is jurylid bij toonaangevende prijsvragen, bestuurslid van de Stichting Kunst en Openbare Ruimte (SKOR) en commissielid bij het Fonds Beeldende Kunsten, Vormgeving en Bouwkunst (BKVB).

Ruwan Aluvihare (1956) is landschapsarchitect en hoofd-ontwerper bij de Dienst Ruimtelijke Ordening van de Gemeente Amsterdam. Hij heeft 8 jaar in Amsterdam-Noord gewerkt aan verschillende projecten, waaronder het Vliegenbos. Op dit moment ontwerpt hij de openbare ruimte van de Zuidas en is hij stedenbouwkundig regisseur / ontwerper openbare ruimte van het Waterlandplein in Amsterdam-Noord.

Colophon

Composition Aafke Post and Evert Verhagen

Photographic features and photo's of the discussion meeting Caro Bonink

Other images Irma Bannenberg, Aafke Post, Marcel Heemskerk, Anneke de Jong,

Intse Hamstra, Wim Salis page 39, 178, 233, Dick Duyves page 235, 242,

Amsterdam Municipal Archives page 22, 28.

Layout and design CO3, Irma Bannenberg, www.co3.org

English translation Christien Ettema

Editors Allard Jolles and Aafke Post

Chief editor Lodewijk Odé

Printer Kwak & van Daalen & Ronday

Publisher Architectura & Natura Booksellers and Publishers

Responsible elderman Amsterdam-Noord Chris de Wild Propitius

Special thanks to the Design Department of the borough of Amsterdam-Noord

www.noorderpark.amsterdam.nl

Colofon

Samenstelling Aafke Post en Evert Verhagen
Fotokaterns en fotografie rondetafelgesprek Caro Bonink
Overige afbeeldingen Irma Bannenberg, Aafke Post,
Marcel Heemskerk, Anneke de Jong, Intse Hamstra,
Wim Salis blz. 39, 178, 233, Dick Duyves blz. 235, 242,
Gemeentearchief Amsterdam blz. 22, 28.
Vormgeving CO3, Irma Bannenberg, www.co3.org
Engelse vertaling Christien Ettema
Redactie Allard Jolles en Aafke Post
Eindredactie Lodewijk Odé

Drukker Kwak & van Daalen & Ronday
Uitgever Architectura & Natura Booksellers and Publishers
Verantwoordelijk portefeuillehouder Amsterdam-Noord
Chris de Wild Propitius

Met dank aan de afdeling Ontwerp Stadsdeel
Amsterdam-Noord

www.noorderpark.amsterdam.nl